Amanda et les amis imaginaires

A. F. HARROLD

Amanda et les amis imaginaires

Illustré par Emily Gravett

Traduit de l'anglais par Isabelle Perrin

Seuil

Édition originale publiée en 2014 sous le titre *The Imaginary*
par Bloomsbury Publishing Plc, Londres.
Texte © A. F. Harrold 2014
Illustrations © Emily Gravett 2014
Tous droits réservés.

Pour l'édition française, publiée avec l'autorisation
de Bloomsbury Publishing Plc :
© Éditions du Seuil 2015
Mise en pages : Philippe Duhem

ISBN : 979-10-235-0408-8

Conforme à la loi n° 49-956 du 16 juillet 1949
sur les publications destinées à la jeunesse.

POUR MON FRÈRE MARC,
CONTRE L'OUBLI.

A. F. HARROLD

POUR MES AMIS, RÉELS ET IMAGINAIRES,
PARCE QU'ILS ONT CRU EN MOI.

EMILY GRAVETT

SOMMAIRE

Introduction 15

Chapitre un 17

Chapitre deux 29

Chapitre trois 41

Chapitre quatre 70

Chapitre cinq 85

Chapitre six 99

Chapitre sept 117

Chapitre huit 138

Chapitre neuf 149

Chapitre dix 166

Chapitre onze 177

Chapitre douze 188

Chapitre treize 198

Chapitre quatorze 222

SOUVIENS-TOI

Souviens-toi de moi quand je serai partie
Au pays du silence, partie dans le lointain,
Quand tu ne pourras plus me tenir par la main,
Ni moi risquer l'adieu, puis demeurer ici.

Souviens-toi de moi quand tu ne pourras plus
Me conter l'avenir imaginé hier.
Souviens-toi de moi ; alors comprendras-tu
Qu'il est trop tard pour les conseils ou les prières.

Même si tu devais m'oublier pour un temps
Et puis te souvenir, ne pleure pas pourtant :
Si les ténèbres et la corruption entretiennent
Un vestige des pensées qui jadis furent miennes,
Mieux vaut cent fois pour toi oublier et sourire
Plutôt que de t'attrister dans le souvenir.

Christina Rossetti

INTRODUCTION

Amanda était morte.

Ces mots creusaient un trou dans sa poitrine, comme un puits au fond duquel il serait en train de tomber.

Comment était-ce possible ?

Amanda, morte ?

Oui, il l'avait vue de ses propres yeux. Elle ne respirait plus. Elle était morte.

Rudger se sentait mal. Il se sentait perdu. Il se sentait coupé du monde.

Il s'agenouilla au milieu du parc et regarda les arbres et l'herbe tout autour. Il entendait chanter les oiseaux. Un écureuil traversa le sentier en sautillant jusqu'à la pelouse sans lui prêter attention.

Comment pouvait-il y avoir tant de vert ? Comment pouvait-il y avoir tant de vie alors qu'Amanda était morte ?

À question atroce, réponse atroce : la mort d'une fillette importait peu au reste du monde. Cette mort risquait de briser Rudger, de détruire la mère d'Amanda, et le parc, la ville et le monde environnant resteraient inchangés.

15

Rudger, lui, adorait le changement, il adorait le changement qui se produisait dans une pièce quand Amanda y entrait : elle donnait vie au lieu, son imagination le colorait, ajoutait des détails, transformait un abat-jour en arbre exotique, un bureau en coffre au trésor ou bien un chat endormi en une bombe tictaquant. Elle avait l'esprit étincelant, elle rendait le monde étincelant, et Rudger en avait fait partie. Mais à présent…

Il jeta un regard alentour. Le parc était le genre d'endroit qu'Amanda aurait rêvé tout autre. Mais Rudger avait beau en scruter tous les détails, ce parc restait un bête parc. Rudger n'avait pas assez d'imagination.

Et d'ailleurs, il n'avait même pas assez d'imagination pour s'imaginer lui-même.

Il commençait à distinguer le contour des arbres à travers ses mains. Il était en train de s'estomper. Sans Amanda pour penser à lui, pour se souvenir de lui, pour le rendre réel, il disparaissait.

Rudger tombait dans l'oubli.

Il se sentait las, de plus en plus las.

Comment ce serait, de s'effacer ? De disparaître complètement ?

Il le découvrirait bien vite, songea-t-il. Bien assez vite.

Les oiseaux lui chantaient une berceuse.

Un soleil froid brillait. Rudger dormait.

Et là, une voix claire et posée lui dit : « Je te vois. »

Et Rudger ouvrit les yeux.

UN

Ce soir-là, Amanda Chamboultou ouvrit la porte de son placard et accrocha son manteau sur un petit garçon.

Elle referma la porte et s'assit sur son lit.

Elle n'avait pas enlevé ses chaussures avant de monter l'escalier en courant ; or elle avait les pieds trempés. Et pas juste les pieds. Les chaussures et les chaussettes, aussi. Et les lacets.

Resserrés par le froid et l'humidité, les nœuds refusaient de se défaire. Amanda s'acharnait dessus, mais elle ne réussissait qu'à s'abîmer les ongles.

Si ses lacets restaient noués, elle n'arriverait jamais à ôter ses chaussures. Et alors, elle vivrait toute sa vie avec des pieds mouillés. Et avec les mêmes chaussures. Comme elle le reconnaissait volontiers, Amanda était le genre de fille qui adore porter de vieilles baskets cracra (parce qu'elles sont confortables et que c'est pas grave si on les salit puisqu'elles sont déjà sales), mais un beau jour elle aurait peut-être envie de changer de chaussures.

Et puis que se passerait-il si ses pieds se décidaient à grandir ? À l'école, Mlle Short leur avait montré un bonsaï. Un chêne pas plus haut qu'un pissenlit, parce qu'on l'avait fait pousser dans un pot trop petit. Si Amanda n'arrivait pas à enlever ses chaussures, elle resterait coincée en pointure fillette toute sa vie, comme le minuscule arbre aux racines rabougries. Pour le moment, pas de problème, mais dans dix ans, faire la même taille qu'aujourd'hui ne serait peut-être pas si chouette. Ce serait peut-être même trop nul, pour tout dire.

Voilà qui rendait encore plus vital d'enlever ces chaussures.

Amanda tritura le nœud trempé avec un sentiment d'urgence, mais toujours rien.

Au bout d'un moment elle arrêta. Elle regarda ses pieds sous tous les angles. Elle réfléchit. Elle fit « hum », puis « tt-tt », puis re-« hum ».

Alors, vive comme un chat, elle courut jusqu'à sa commode, ouvrit plusieurs tiroirs, qu'elle vida par terre, et finit par brandir l'objet de sa quête.

« Ahaaa ! » s'exclama-t-elle, comme une princesse qui, ayant trouvé un dragon attaché à un arbre, a sorti de son sac à dos l'objet idéal pour le libérer (une épée, par exemple, ou bien un livre sur le sauvetage des dragons).

Elle s'assit au bord de son lit, replia sa jambe et posa le pied sur son autre cuisse, souleva le nœud avec le doigt, inséra une lame des ciseaux entre le lacet trop serré et la languette de sa chaussure et, avec un petit *clic* jubilatoire, elle coupa.

Bientôt au bout de ses peines, elle tira prestement sur le lacet, ôta sa chaussure et la jeta dans un coin avec sa chaussette.

Ses orteils humides pouvaient enfin gigoter en toute liberté.

Elle répéta aussitôt l'opération avec l'autre chaussure, puis l'envoya valser elle aussi.

Elle s'installa au milieu de son lit. Elle avait les pieds tout moites et tout pâles. Elle souffla de l'air chaud dessus et les essuya avec sa couette.

Amanda Chamboultou était un génie, point barre. Qui d'autre aurait trouvé une solution si simple si vite ? À supposer que Vincent ou Julia (des copains d'école) soient rentrés avec des chaussures mouillées, ils les porteraient toujours à cette heure, et ils auraient très, très froid aux pieds. Tellement froid qu'ils auraient sans doute attrapé une pneumonie.

D'un autre côté, cela ne serait jamais arrivé, parce que Vincent et Julia étaient de ces enfants qui ne passent pas leur samedi après-midi sous la pluie à patauger dans les flaques d'eau. Il n'y a pas de hasard…

— Amanda ! cria une voix dans l'escalier.

— Quoi ?

— C'est toi qui as encore laissé des traces de boue sur le tapis ?

— Non.

— Comment ça se fait qu'il y ait des traces de boue sur le tapis, alors ?

— C'est pas moi, m'man !

Au son des pas dans l'escalier, elle se laissa glisser de son lit et alla ramasser ses chaussures mouillées. C'est vrai qu'elles étaient un peu boueuses. Enfin, plus ou moins. Si on les regardait vraiment de près, juste.

Elle resta pétrifiée, ses baskets à la main. Si sa maman entrait et la trouvait comme ça et repérait la boue sur les semelles, elle en tirerait forcément une conclusion. Il fallait qu'Amanda s'en débarrasse vite fait.

Ouvrir la fenêtre et les balancer dehors ? Trop long. Les fourrer sous le lit ? Sauf qu'il n'y avait pas de dessous en dessous du lit, juste de grands tiroirs bourrés de plein de trucs précieux.

Il ne lui restait plus qu'une option.

Elle ouvrit la porte de son placard et les jeta à l'intérieur.

Le garçon, qui tenait toujours son manteau, poussa un « oufff » quand il se prit les chaussures dans le ventre.

Amanda allait lui reprocher de ne pas les avoir attrapées au vol, quand la porte de sa chambre s'ouvrit en grand.

— Mademoiselle Amanda Primevère Chamboultou, commença sa mère façon maman énervante. (C'est vrai, quoi. Les mamans ont l'air de croire que si elles arrivent à décliner votre état civil complet vous vous sentirez encore plus grondé, mais comme c'est sans doute elles

qui vous ont donné tous ces noms à la naissance, ce n'est pas si impressionnant que ça, en fait.) Combien de fois t'ai-je dit d'enlever tes chaussures dans l'entrée avant de monter ?

Amanda resta sans voix. Elle avait beau réfléchir à toute vitesse, elle ne savait quoi répondre.

Il y avait deux portes dans sa chambre : l'une donnant sur le palier, bloquée par sa mère ; l'autre, celle du placard, cachant un garçon d'à peu près son âge qu'elle n'avait jamais vu de sa vie. Il tenait son imperméable dégoulinant et lui souriait d'un air crispé.

C'était un peu bizarre, mais tant que sa mère n'aborderait pas le sujet, elle n'en parlerait pas non plus.

— Alors, qu'est-ce que tu as à me dire ?

— Il y avait des nœuds, expliqua Amanda.

Elle désigna du doigt les chaussures boueuses qui gisaient entre ses pieds et ceux du petit garçon. (D'ailleurs, remarqua-t-elle, il portait exactement les mêmes, mais en propre, comme s'il n'avait jamais sauté dans une flaque d'eau. *C'est bien ma chance,* songea-t-elle. *Un garçon débarque dans mon placard, et c'est un genre de Vincent ou de Julia qui a peur de se salir, pfff...)*

— Des nœuds ? Des nœuds ? Des nœuds ? répéta sa mère sur tous les tons, comme si elle essayait de juger de la validité de cette excuse.

— Oui, des nœuds. Alors j'étais bien obligée de monter ici pour trouver les ciseaux, sinon je

serais restée coincée toute ma vie dans ces chaussures, et alors mes pieds n'auraient pas grandi et…

— C'est quoi, ça ? l'interrompit sèchement sa mère au moment où elle allait lui faire un exposé passionnant sur les bonsaïs.

Amanda se tut et suivit des yeux la ligne invisible qui reliait le bout du doigt de sa mère à l'intérieur du placard.

À sa place, c'est par là qu'elle aurait commencé. Elle n'aurait pas rouspété pour les chaussures mouillées ni rien, elle aurait rouspété pour le garçon. Si on raisonnait comme elle, soit sa fille invitait des amis sans avoir demandé la permission, ce qui allait à l'encontre de toutes les règles de la politesse, soit il y avait des voleurs dans la maison, ce qui serait une mauvaise nouvelle, pas vrai ? Après tout, si ce garçon avait pu s'introduire comme ça chez elles un samedi après-midi, n'importe qui pourrait entrer n'importe quand, non ? Elles seraient envahies par les voleurs avant de pouvoir dire ouf, et alors, elles seraient quoi ? Elles seraient cambriolées, voilà quoi.

— J'ai dit : « C'est quoi, ça ? », répéta sa mère en désignant toujours le garçon dans le placard.

Amanda plissa les yeux, pencha la tête de côté et le fixa du regard, comme si elle réfléchissait sérieusement à cette question.

— Ce n'est pas « quoi », qu'il faut dire, mais plutôt « qui », tu ne crois pas ? osa-t-elle.

Sa mère traversa la pièce à grandes enjambées, attrapa l'imperméable trempé des mains du garçon et se retourna en brandissant l'objet du délit.

— C'est quoi, ça ? dit-elle une nouvelle fois, dos au placard.

— Ah, ça ! C'est mon imper.

— Et qu'est-ce qu'il fait là-dedans ?

— Euh, il est accroché ? tenta Amanda.

— Mais chérie, il est tout trempé ! protesta sa mère d'une voix radoucie. Regarde, il goutte partout. Accroche-le en bas près du radiateur. Je te l'ai déjà dit, ne le range pas comme ça dans ton placard, ou il finira par moisir. Quand apprendras-tu ?

— Lundi matin, à l'école.

Sa mère soupira, secoua la tête et se baissa pour ramasser les baskets.

— Tant que j'y suis, je vais les redescendre aussi.

L'étrange garçon du placard sourit à Amanda par-dessus l'épaule de sa maman.

— C'était une bonne blague, commenta-t-il.

— Mais qu'est-ce que tu as fabriqué ? s'étouffa sa mère en agitant les chaussures à bout de bras. Tu as coupé les lacets ?

— Je t'ai dit, il y avait des nœuds, répliqua raisonnablement Amanda.

— Peut-être, mais tu as coupé les lacets ?

— Euh…

— Il y a vraiment des choses qui me dépassent, chez toi, Amanda. Qui me dépassent complètement, répéta-t-elle en retournant vers la porte.

— Euh, maman ?

— Oui, quoi ?

— Tu fais des gouttes sur la moquette.

En effet, l'imper laissait des petites taches par terre, typiquement le genre de choses qui aurait d'ordinaire valu à Amanda une remarque de sa mère. Mais aujourd'hui, celle-ci se contenta de grogner avant de redescendre.

Enfin bon, on ne peut pas s'attendre à comprendre les adultes du premier coup, songea Amanda.

Elle observa le garçon du placard, qui lui rendit son regard.

— Elle t'a plu, ma blague ? demanda-t-elle.

— Oui, c'était assez drôle.

— Assez drôle ? C'est la meilleure de la journée, oui !

— OK, mais…

— Mais quoi ? l'interrompit Amanda en plissant les yeux.

Le garçon la regarda et se gratta la tempe.

Amanda plissa encore plus les yeux et se pencha en avant. (Bien obligée, parce qu'elle avait tellement plissé les yeux que c'était le seul moyen pour arriver à le voir.)

Le garçon l'imita : il plissa lui aussi les yeux en se penchant en avant.

Du coup, ils se retrouvèrent nez à nez en train de loucher. Amanda fit soudain un pas de côté et le garçon tomba en avant comme un gros sac de patates.

— Ha, ha, excellent ! pouffa-t-elle en se tenant les côtes. Juste excellent ! T'es carrément tombé par terre ! Très drôle ! Tu veux un bonbon ?

Et c'est ainsi qu'Amanda Chamboultou rencontra Rudger. Ou plutôt, c'est ainsi que Rudger rencontra Amanda Chamboultou. Tout dépend de qui est pour vous le héros de cette histoire.

Rudger s'était réveillé dans le placard d'Amanda juste au moment où elle avait claqué la porte d'entrée.

Il l'avait entendue monter l'escalier quatre à quatre et l'avait attendue sagement dans l'obscurité.

Il ne se rappelait plus où il était avant. S'il était quelque part, cela lui était sorti de l'esprit.

Mais maintenant qu'il avait trouvé Amanda, il avait le sentiment profond d'avoir trouvé sa place. Comme s'il avait été fait pour elle. Pour autant qu'il se souvienne, elle était sa première amie. Elle était aussi sa seule amie, et donc sa meilleure amie.

Une semaine après leur rencontre, Amanda l'emmena à l'école pour le montrer à Vincent et Julia. Ils restèrent très polis parce qu'ils savaient qu'elle était un peu bizarre. Quand elle leur dit : « Je vous présente Rudger » en le désignant, ils contemplèrent le vide et lui serrèrent la main — sauf qu'il n'y avait pas de main puisque c'était du vide. Et quand elle leur dit : « Mais non, imbéciles, pas ici, là ! » en le pointant du doigt, ils éclatèrent de rire, s'excusèrent et tentèrent une nouvelle poignée de main. Julia atteignit Rudger dans l'estomac et Vincent, qui était plus grand, faillit lui crever l'œil.

Rudger et Amanda comprirent alors que seule Amanda pouvait le voir. De toute évidence, Rudger était son ami à elle, à elle seule, et cela n'était pas pour lui déplaire.

Ce fut la première et la dernière fois qu'ils allèrent à l'école ensemble.

DEUX

Amanda et Rudger passèrent presque tout le début des vacances d'été dans le jardin. Ils y construisirent une cabane, au fond, sous l'aubépine, et, à travers les yeux d'Amanda, Rudger assista à la transformation des lieux.

Un jour, leur cabane était un vaisseau spatial qui atterrissait sur de lointaines planètes inexplorées. Ils s'extirpaient alors de la navette en veillant bien à ne pas déchirer leur combinaison sur une épine et exploraient la surface de leur nouvel environnement en faisant de grands bonds élastiques dus à l'apesanteur.

Ils s'émerveillaient des formations géologiques improbables et des lunes multiples à l'horizon, et ils pourchassaient les étranges félins qui peuplaient cet univers lointain.

Un autre jour, la cabane devenait la nacelle d'une immense montgolfière qui les déposait sur un plateau rocheux à des kilomètres en contre-haut d'une jungle amazonienne. Chacun mettait l'autre au défi de regarder par-dessus le bord (ou plutôt, Amanda mettait Rudger au défi et, quand il s'y refusait, elle le faisait elle-même pour lui prouver à quel point c'était facile), et ils pourchassaient les étranges félins qui nichaient là-haut depuis des millions d'années.

D'autres fois, la cabane devenait un igloo sur la banquise étincelante du jardin, ou bien une grande yourte brune dans un désert de sable aux nombreux mirages, ou encore un tank futuriste traversant des champs boueux constellés de cratères.

Quelle que soit leur destination imaginaire, le chat de la maman d'Amanda, Micro-Ondes, les observait prudemment depuis la terrasse en guettant le moment où Amanda allait le repérer, car elle imaginait toujours pour lui un rôle d'alien, de tigre ou de dinosaure à pourchasser.

Rudger avait d'abord plaint ce pauvre Micro-Ondes, mais celui-ci s'en tirait chaque fois en s'engouffrant dans la chatière au moment où Amanda allait lui tomber sur le poil.

Rudger avait parfois l'impression que Micro-Ondes pouvait le voir, car il arrivait au chat de s'arrêter tout net en pleine toilette pour le dévisager d'un œil inquiet, son petit bout de langue rose encore sorti. Mais l'instant d'après il clignait des yeux, bâillait, se retournait et levait la patte pour se lécher les coussinets comme si de rien n'était. À se demander s'il l'avait vu ou non…

C'est à Micro-Ondes qu'il aurait fallu le demander, se disait Rudger, mais puisque c'était un chat et que les chats ne parlent pas, il se résigna à vivre sans savoir.

Un jour, Rudger et Amanda faisaient de la spéléologie dans des grottes souterraines qui s'enfonçaient à des kilomètres sous l'escalier et sentaient l'humidité, les chauves-souris et l'eau suintante. Elle était en train de lui reprocher d'avoir oublié la lampe torche quand on sonna à la porte.

Alors que l'écho du carillon résonnait dans les grottes, ils entendirent la maman d'Amanda aller ouvrir en rouspétant. Elle travaillait dans son bureau et n'aimait pas être dérangée.

— Oui ? fit-elle d'un ton sec en ouvrant la porte.

— Ah, bonjour ! dit une voix grave qu'Amanda ne connaissait pas. Je fais une enquête dans votre quartier. Cela ne vous dérange pas si je vous pose quelques questions ?

— C'est à quel sujet ?

— C'est une enquête, répéta la voix avant de marquer une longue pause, comme si cette réponse se suffisait à elle-même. Une enquête sur l'Angleterre d'aujourd'hui. Et sur les enfants.

— Je ne sais pas trop… Vous avez vos papiers ?

— Mes papiers ?

— Oui, des papiers à votre nom.

— Mon nom ? Je m'appelle M. Butor, madame. Comme l'oiseau.

— L'oiseau ?

— Oui, l'oiseau de proie. Et il y a plusieurs espèces…

— Oui, bon, vous avez de quoi le prouver ?

— Prouver qu'il y a plusieurs espèces ? s'étonna l'inconnu. Euh, non, l'ornithologie n'est pas…

— Mais non, l'interrompit la maman d'Amanda. Des papiers d'identité, pour prouver que vous êtes bien qui vous dites.

M. Butor toussota comme pour signifier qu'il était vexé (mais juste un tout petit peu) avant de répondre.

— Oui, bien sûr. J'ai une carte, regardez.

Entre-temps, Amanda s'était glissée dans l'entrée sur la pointe des pieds, laissant Rudger à l'orée de la grotte sous l'escalier pour ne pas perdre le fil de leur aventure (un peu comme on coince son doigt dans un livre qu'on referme pour garder la page quand quelqu'un vous parle). Elle se rapprocha de sa mère à pas de loup et l'enserra dans ses bras. Ce genre de démonstration plaît toujours aux mamans. Et de là, Amanda pourrait voir de quoi il retournait.

Elle passa la tête le long de la jambe de sa mère et découvrit deux inconnus sur le pas de la porte : un adulte qui montrait sa carte à sa mère, et une petite fille de son âge.

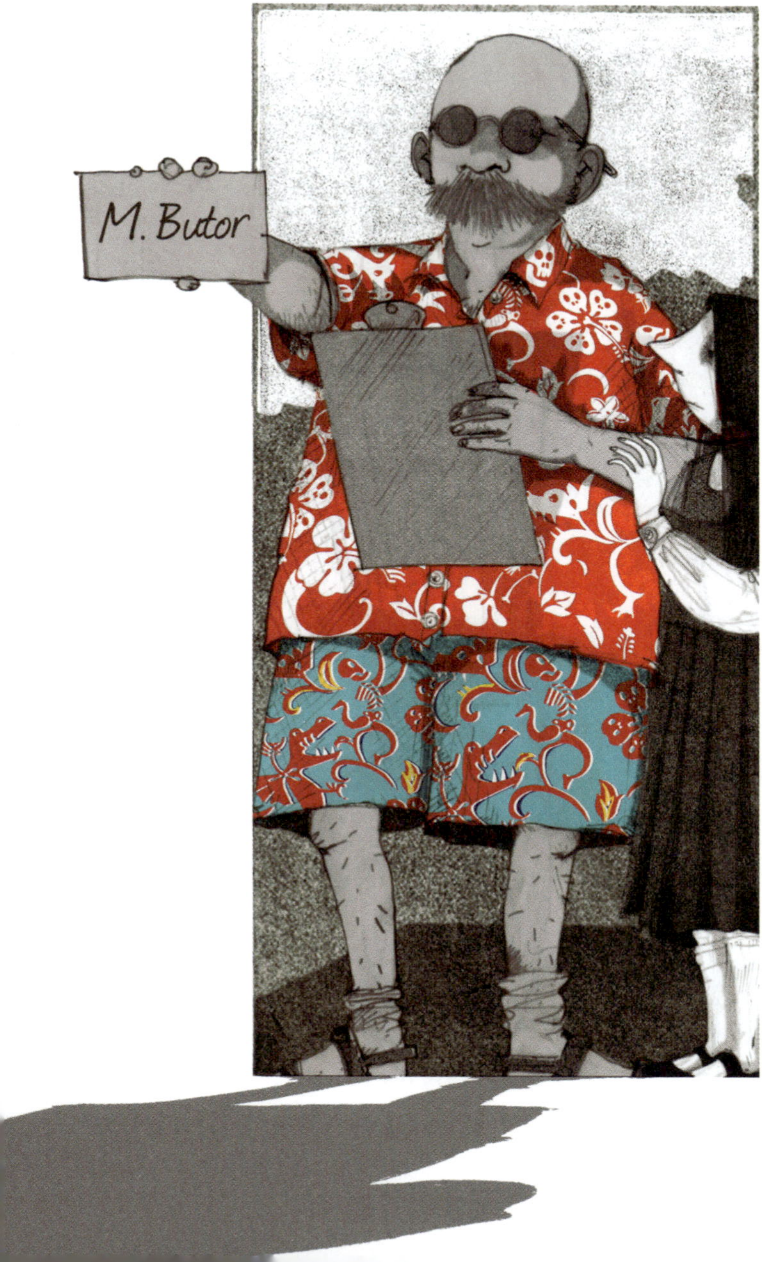
M. Butor

L'homme portait un bermuda à motifs criards et une chemise hawaïenne qui enserrait son large torse comme les branches d'un palmier recourbées par une brise tropicale. Il tenait une tablette entre ses mains et avait un stylo coincé derrière l'oreille. Complètement chauve, il avait les yeux cachés par des lunettes noires et la bouche par une moustache rousse qui frémissait chaque fois qu'il parlait.

La fillette, elle, était vêtue d'une triste robe sombre par-dessus un chemisier blanc. On aurait dit un uniforme d'écolière. Sous le terne rideau de ses longs cheveux noirs tout raides se devinait un regard éteint. Elle restait immobile alors que l'homme s'agitait en tous sens. Elle ne disait rien.

Amanda supposa que l'homme était son père et qu'elle avait dû l'accompagner au travail, car cela arrivait à certains de ses amis pendant les vacances. Elle n'avait pas l'air de beaucoup apprécier.

Puis la fille se tourna pour la regarder droit dans les yeux, si brusquement qu'Amanda sursauta (même si jamais elle ne l'aurait avoué) avant de lui adresser un sourire forcé. Amanda trouvait correct de se montrer amicale, et cette fille avait l'air si malheureuse que cela semblait la chose à faire. La fillette toute pâlichonne lui répondit par un pauvre sourire pincé en levant le bras pour tirer le monsieur par la manche.

Celui-ci s'arrêta de parler.

— Je n'ai pas trop envie de répondre à vos questions comme ça, sur le pas de la porte, disait la maman d'Amanda. Peut-être avez-vous un questionnaire à me laisser ? Une fiche à remplir que je pourrais vous renvoyer par la poste ? Ou alors… Enfin, là, tout de suite, je suis vraiment occupée.

Elle mima le geste de taper sur un clavier, comme pour donner plus de poids à ce qu'elle disait.

— Ce ne sera pas nécessaire, madame, dit l'inconnu en gloussant. Non, non. Je suis désolé de vous avoir dérangée par une si belle journée. Je vous laisse. J'y vais.

Il sortit un mouchoir de sa poche pour se tamponner le front, fit demi-tour et repartit dans l'allée.

— Bizarre, bizarre, commenta la mère d'Amanda après avoir refermé la porte.

— Qu'est-ce qu'ils voulaient, maman ?

— Il voulait savoir combien d'enfants habitent ici et des trucs dans le genre. J'ai trouvé ça très suspect, ma chérie, alors je me suis débarrassée de lui.

— Elle avait l'air si triste de devoir l'accompagner, remarqua Amanda en repartant vers l'escalier, où l'attendait Rudger.

— Qui ça, ma chérie ?

— Ben, la fille.

— Quelle fille ?

Amanda regarda sa mère, la tête penchée sur le côté.

— Non, rien, je parlais à Rudger, répondit-elle.

Elle agita la main comme pour la renvoyer à son travail, si important qu'Amanda faisait de son mieux pour ne jamais la déranger.

— Rudger, dit sa mère d'un ton indulgent. Il va bien ? Vous vous êtes bien amusés, aujourd'hui ?

— Oui, on fait de la spéléo.

Et Amanda retourna à tâtons dans les grottes obscures, contournant les antiques formations rocheuses de l'aspirateur et louvoyant entre les stalactites du lugubre linge lavé. Elle raconta à Rudger ce qui s'était passé.

— Et ta mère, elle ne l'a pas vue, la fille ? s'étonna-t-il.

— Non.

— Elle ne regardait pas ?

— Oh, si, elle regardait. Et elle n'est pas stupide ; enfin, pas tant que ça. Tu sais ce que je pense, Rudger ?

— Oui, je crois.

— Ce monsieur, il a une amie imaginaire, comme moi je t'ai toi.

— Ça fait plaisir de savoir que je ne suis pas le seul.

Certains enfants réclament beaucoup d'attention de la part de leurs parents. Certains enfants doivent être surveillés en permanence. Leur journée est en quelque sorte gâchée s'il n'y a pas d'adulte dans les parages pour s'extasier sur tout ce qu'ils font. Ils s'ennuient si on les laisse seuls plus de cinq minutes (voire moins, des fois). Ils boudent, ils traînaillent, ils tournent en rond, ils ronchonnent.

Amanda, jamais. Elle s'amusait très bien toute seule. Même petite, elle passait des heures avec du papier et des crayons de couleur à dessiner des cartes et des monstres et à planifier des expéditions. Elle était ravie de rester sur son lit à lire des livres ou à voguer sur les océans. Quand elle allait chez d'autres enfants pour un anniversaire ou une soirée pyjama, les parents appelaient parfois sa maman pour lui dire : « Je viens de retrouver Amanda sous la table de la cuisine. Elle dit que son canot a été avalé par une baleine et qu'elle attend de se faire recracher. Euh… Ça ne vous dérangerait pas de venir la chercher ? » Ce à quoi la maman d'Amanda répondait : « Elle vous a demandé de rentrer plus tôt ? Elle a cassé quelque chose ? Non ? Alors, je viendrai la chercher à 6 heures comme prévu. »

Puisqu'elle savait si bien s'occuper seule, s'inventer des aventures ou se raconter des histoires, sa maman pouvait passer le plus clair de son temps à travailler dans son bureau, même pendant les vacances, à envoyer des mails et des fichiers à M. et Mme Chamboultou, les grands-parents d'Amanda (elle gérait la comptabilité de leur entreprise), ou bien à s'activer dans la cuisine en écoutant la radio, ou bien à se reposer (juste dix minutes) dans le canapé avec un verre de vin au beau milieu de l'après-midi. Parfois, il lui arrivait presque (mais pas tout à fait) d'oublier qu'elle avait une fille.

Ce qui ne veut nullement dire que Mme Chamboultou n'était pas la meilleure des mères. D'ailleurs, elle aurait instantanément cliqué sur « Sauvegarder » pour lire un livre à Amanda, jouer à un jeu de société, l'aider à faire ses devoirs ou aller au cinéma, si Amanda le lui avait demandé. Néanmoins, elle était heureuse que sa fille soit le genre d'enfant qui se satisfait de sa propre compagnie. Peut-être parce qu'ainsi elle culpabilisait moins de passer autant de temps dans son bureau.

Un dimanche matin, quelques semaines après l'apparition de Rudger, Mme Chamboultou répondit au téléphone. Assise à son ordinateur, elle regardait par la fenêtre dans le jardin, où jouait Amanda.

À l'autre bout du fil, c'était sa mère, Mamie Tristoune, comme l'appelait Amanda. Elles discutèrent de choses et d'autres, comme le font les adultes, puis Mme Tristoune demanda des nouvelles de sa petite-fille.

— Elle est dans les parages ? Elle veut me dire bonjour ?

— Non, maman. Elle joue dans le jardin avec Rudger. Je ne veux pas la déranger.

— Roger ? C'est un nouvel ami ?

— Euh, si on veut. Nouveau, oui. Ami, oui. Mais, hum…

— Quoi donc ?

— Tu vas rire, maman. Tu vas dire que je lui passe tout, ou que je ne m'occupe pas assez d'elle.

— Ne dis pas n'importe quoi, ma chérie, continue.

— Rudger n'est pas vraiment vrai.

— Comment ça, « pas vraiment vrai » ?

— Non, il est imaginaire. Amanda l'a inventé la semaine dernière et ils sont devenus inséparables. Il faut même lui mettre un couvert à table et tout et tout. Ne ris pas, hein.

Mais sa mère ne riait pas du tout. Au contraire, elle prit un ton mélancolique.

— Oh, Lizzie chérie ! s'exclama-t-elle. Tu te souviens de Frigo ?

— Si je me souviens du frigo ? Qu'est-ce que tu racontes ?

— Ton ami imaginaire à toi, ma chérie. Je crois me rappeler que c'était un chien. Quand tu étais petite, tu n'allais nulle part sans lui. Même les chats ne rentraient pas dans la pièce quand il y était. Tu les chassais pour qu'ils ne lui fassent pas peur.

— Ça alors, je ne m'en souviens pas du tout ! reconnut la maman d'Amanda, stupéfaite d'avoir oublié une chose pareille.

— Oh là là, parles-en à ton frère la prochaine fois que tu l'auras au téléphone. Vous le rendiez dingue, Frigo et toi.

La conversation dévia sur la météo, le travail, les artichauts, les rhumatismes, bref, les sujets barbants des adultes.

Après avoir raccroché, la maman d'Amanda resta pensive quelques instants. Elle regarda par la fenêtre dans le jardin et sourit en voyant Amanda sauter du banc, des peintures de guerre bleues sur le visage et un bâton à la main, hurlant comme un guerrier au point d'effrayer Micro-Ondes, qui détala du parterre de fleurs.

La chatière résonna dans la cuisine.

Lizzie se carra dans sa chaise et repensa à Frigo. Maintenant que sa mère l'avait mentionné, elle en avait bien un vague souvenir. Elle se rappelait presque à quoi il ressemblait. Un vieux chien de berger ? Peut-être. Cela faisait si longtemps. Et même si elle avait l'impression de se remémorer certains détails (l'odeur de chien mouillé, boueux et terreux quand il dormait sous son lit, par exemple), l'essentiel de ce qu'elle avait oublié en grandissant demeurait perdu.

Ce qui était sûr, en revanche, c'est qu'inventer un ami ne lui avait fait aucun mal ; elle n'avait donc pas à s'inquiéter pour Amanda. Alors que d'autres adultes auraient téléphoné à un pédopsychiatre au moindre signe d'une imagination développée chez leur enfant (quelle horreur !), Lizzie était plus qu'heureuse de partager sa maison avec Rudger.

S'il fallait mettre un couvert de plus à table, pas de problème. S'il fallait acheter le shampooing spécial à la fraise qu'il préférait, pas de souci. S'il fallait s'assurer qu'il avait bien bouclé sa ceinture en voiture, c'était là un petit prix à payer pour le bonheur de sa fille.

Sans compter que, à entendre Amanda, Rudger ne semblait pas avoir une mauvaise influence. Au contraire, en son for intérieur, Lizzie s'inquiétait même un peu pour lui.

TROIS

Ce soir-là, la maman d'Amanda était de sortie. C'était rare, mais quand cela arrivait, elle se débrouillait toujours pour trouver la baby-sitter la plus barbante qui soit, rien que pour embêter Amanda.

Amanda était bien assez grande pour rester toute seule. Les baby-sitters, c'était pour les bébés, disait-elle (baby, ça veut bien dire bébé, non ?) et cela faisait des années qu'elle n'était plus un bébé. En plus, elle ne serait pas seule puisqu'elle serait avec Rudger, pas vrai ?

Mais c'était chaque fois pareil. Amanda présentait ses arguments à haute et intelligible voix, sur un ton suppliant, et la baby-sitter débarquait quand même.

— On dirait qu'elle ne nous fait pas confiance, dit Amanda à Rudger. C'est de ta faute.

— Quoi ? s'offusqua-t-il.

— Ben oui, tu as cassé son vase quand tu jouais au ballon dans la salle à manger l'autre jour.

Rudger en resta sans voix ; puis il contre-attaqua en comptant ses arguments sur ses doigts, qui n'y suffiraient peut-être pas.

— Premièrement, c'était un pot et pas un vase. Deuxièmement, c'est toi qui as lancé le ballon, pas moi. Troisièmement, c'était une orange et pas un ballon. Quatrièmement, c'est toi qui as dit que c'était une grenade dégoupillée et pas une orange…

— Et cinquièmement, je lui ai dit que c'était toi, Rudger, parce que tu es mon chevalier servant qui se sacrifie pour moi. Sinon, elle aurait été furieuse contre moi et je n'aurais pas eu droit à un hamburger vendredi. Je t'ai remercié, au fait ?

Rudger trouva cette réponse désarmante, ce qui n'était pas rare. Il se gratta le coude.

La sonnette retentit.

Ils se précipitèrent en bas pour voir la maman d'Amanda ouvrir la porte à une grande jeune fille cachée sous un parapluie télescopique et en pleine conversation téléphonique.

— Ouais, bon, j'y suis, là, disait-elle à son correspondant. Faut que je te laisse, OK ? On se parle plus tard. Biz biz !

Amanda jeta un coup d'œil à Rudger et réprima un éclat de rire.

— Vous avez bien mon numéro ? demanda la maman d'Amanda. Je serai de retour vers 22 heures. Merci beaucoup d'être venue comme ça au pied levé. Et toi, Amanda, tu seras super sage avec… euh… désolée, c'est quoi, votre nom, déjà ?

— Marigold, mais tout le monde m'appelle Goldie.

— C'est pas un nom de chien, ça ? murmura Rudger, ce qui fit glousser Amanda.

— Sois sage, toi, la gronda sa maman.

— Mais c'est pas moi, c'est Rudger qui a dit un truc rigolo.

— Ah oui, enchaîna sa maman. Amanda a un ami qui s'appelle Rudger, mais ne vous en faites pas, il n'est pas embêtant.

— Ils sont deux ? s'étonna Goldie. Vous ne m'aviez pas prévenue.

— Non, non, dit Mme Chamboultou en riant. Ne vous inquiétez pas. Rudger est imaginaire, expliqua-t-elle en prononçant le dernier mot à mi-voix, ce qui n'empêcha personne de l'entendre.

— Maman ! s'indigna Amanda. Il est juste là ! C'est un être sensible, tu sais.

Mme Chamboultou regarda un instant sa fille et remarqua ses bras croisés et ses sourcils froncés.

— Désolée, ma chérie, je ne voulais pas le blesser.

— Ce n'est pas à moi qu'il faut t'excuser, rétorqua Amanda sans décroiser les bras.

— Désolée, Rudger, dit Lizzie en regardant dans le vide près de l'endroit où il se tenait.

— Ce n'est pas grave, l'assura-t-il.

— Il t'excuse, annonça Amanda.

Après s'être préparé une tasse de thé, Goldie demanda où se trouvaient les biscuits.

Ils étaient assis tous les trois à la table de la cuisine, où il faisait encore lourd malgré la porte ouverte. La pluie tombait dru sur la terrasse, mais l'air n'avait pas fraîchi et il restait pur, piquant, presque électrique. L'orage avait chassé la moiteur étouffante de la journée, et hormis les nuages bas et noirs et les grondements du tonnerre dans le ciel, cette pluie agréable rendait la soirée bien belle.

— Dans le bocal, répondit Amanda en le montrant du doigt. Maman dit qu'on a le droit d'en prendre deux chacun.

La baby-sitter attrapa la boîte à biscuits à l'autre bout de la table, souleva le couvercle et commença la distribution de ses doigts effilés.

— En voilà deux pour toi et deux pour moi, annonça-t-elle avant de refermer le couvercle.

— Et deux pour Rudger, corrigea Amanda.

— Rudger ?

— Ben oui, Rudger, répéta Amanda en levant les yeux au ciel. Maman lui donne toujours deux biscuits, à lui aussi, parce qu'il est en pleine croissance et qu'il a besoin de vitamines.

Goldie sourit et frappa la table du plat de la main quand elle comprit.

— Mais bien sûr ! Ton petit ami imaginaire. Quand j'étais…

Ce qu'allait dire Goldie, on ne le sut jamais, car Amanda recracha des miettes partout sur la table tant elle était sous le choc.

— Ce n'est pas mon petit ami ! dit-elle d'un ton horrifié. Beurk !

Elle agita les mains devant sa bouche comme si elle avait pu en chasser le goût amer par un pouvoir magique.

Assis sur sa chaise, Rudger ouvrit de grands yeux. Cette idée ne lui plaisait pas plus qu'à Amanda, mais il doutait qu'un tel cinéma soit absolument nécessaire.

— Du calme, commenta-t-il.

— Du calme ? s'indigna-t-elle, comme si elle n'en croyait pas ses oreilles.

— Oh, les amoureux, Amanda et Roger, ils sont amoureux ! chantonna Goldie entre deux gorgées de thé.

— C'est même pas son nom, déjà, lâcha Amanda en la fusillant du regard.

— Pardon ?

— Il ne s'appelle pas Roger, mais Rudger. Et je préférerais mourir plutôt que de l'embrasser.

Goldie dévisagea longuement Amanda avant de reposer sa tasse en faisant une tête de baby-sitter dépassée par les événements.

— OK, comme tu veux, concéda-t-elle.

— Hum, grommela Amanda en croisant les bras. Ne l'oublie pas, hein : Rudger n'est pas mon petit ami. Et tu ne lui as toujours pas donné ses biscuits, au fait.

Goldie attrapa deux autres biscuits et regarda Amanda comme pour lui demander : « Je les pose où ? »

Amanda les lui prit des mains et les rangea bien au chaud. Dans son estomac.

93

94

95

9

92

91

90

89

Dix minutes plus tard, Goldie se trouvait dans l'entrée, les yeux fermés, en train de compter.

À l'étage, Rudger était caché dans le placard où il avait fait son apparition. Il savait que c'était le premier endroit où Amanda l'aurait cherché, mais ce soir, ce n'était pas elle qui s'y collait.

Au rez-de-chaussée, Amanda était allée se cacher sous le bureau où se trouvaient habituellement les jambes de sa mère. Elle avait même tiré la chaise après elle, si bien qu'elle était presque impossible à repérer. Assise dos au mur, les genoux relevés contre le menton comme une gargouille souterraine, elle attendait.

— Quatre-vingt-dix-huit, quatre-vingt-dix-neuf, cent ! Cachés ou pas, me voilà ! lança Goldie depuis l'entrée.

Amanda sonda le silence des réflexions de la baby-sitter. Elle imaginait l'expression sur son visage. Devait-elle chercher en haut ou en bas ? Dans la cuisine ou dans le salon ? Sous l'abat-jour ou sous la table ? Par où commencer ?

L'anticipation lui donnait des guilis dans le ventre. Elle entendit les placards de la cuisine s'ouvrir et se refermer l'un après l'autre, puis le grincement familier de la porte du débarras sous l'escalier. Goldie ne faisait pas les choses à moitié. Voilà qui promettait.

Après un moment de silence, Amanda entendit ses pas se rapprocher. Entre les pieds de la chaise de sa mère, elle vit sa silhouette s'encadrer dans la porte. Goldie tendit le bras et alluma la lumière du bureau.

Amanda résista à l'instinct de se coller encore plus au mur. Le moindre son, en cet instant précis, serait catastrophique. *Ne bouge pas,* se dit-elle. *Ne fais pas de bruit.*

Goldie inspecta les bibliothèques, puis ouvrit le tiroir du haut du meuble de rangement. Pas d'Amanda. Goldie fit un pas de plus dans la pièce.

Amanda voyait ses jambes, maintenant. Elle la vit tourner lentement sur elle-même. Elle visualisa le bureau : il n'y avait aucun placard où se cacher, pas le moindre panier à linge, pas un seul fauteuil derrière lequel se tapir. En fait, conclut-elle à son grand désespoir, la seule cachette de cette pièce était celle qu'elle occupait. Même Goldie finirait par le comprendre.

Soudain, la sonnette retentit.

Et Goldie alla ouvrir.

Un coup de tonnerre fit trembler les vitres. Amanda bougea un peu sous le bureau parce qu'elle commençait à avoir des fourmis dans la jambe gauche. Puisque l'attention de la baby-sitter avait été détournée, c'était l'occasion de s'installer plus confortablement.

— Désolé de vous déranger, mademoiselle, mais je suis tombé en panne juste là, dit une voix d'homme dans l'entrée. Avec le temps de chien qu'il fait ce soir… Mon portable ne marche plus… Vous seriez bien aimable de me laisser utiliser votre téléphone pour appeler les…

— Hum, fit Goldie d'un ton nettement dubitatif. Je ne suis pas chez moi, ici. Mme Chamboultou est sortie. Je suis la baby-sitter. Je ne sais pas si…

— Je comprends. Vraiment, je… responsable d'une… méfiez d'un inconnu… Mais… prendra juste une minute. Vraiment… Vous me sauveriez, mademoiselle. Quel mal pourrais-je…

Amanda n'entendait que des bribes de cet échange en raison de la pluie qui martelait à présent la fenêtre du bureau, mais elle avait l'étrange impression de reconnaître cette voix. Ce n'était pas une voix familière, certainement pas un des amis de sa mère ni un des voisins, et pourtant…

— Oui, bon, je ne suis pas chez moi et…

—Je comprends, je comprends. Pas de problème… Je vois que c'est allumé, à côté. Je vais tenter ma chance. Bonsoir.

— OK. Bonsoir.

La porte d'entrée se referma et le bruit de la pluie dans l'allée s'assourdit. Mais cette voix continua à faire son chemin dans le cerveau d'Amanda. Elle n'arrivait pas à mettre le doigt dessus. Très agaçant, mais l'homme était parti maintenant, alors tant pis.

Et soudain, plus de lumière.

Deux minutes plus tôt, Rudger était sorti de son placard sans faire de bruit. Depuis la fenêtre de la chambre d'Amanda, on avait une bonne vue du jardin à l'avant de la maison. Il grimpa sur le lit et colla son visage au verre froid.

C'était incroyable à quel point il faisait sombre, dehors. Comme si la nuit était tombée très tôt, sauf qu'il s'agissait d'un immense tapis de nuages noirs qui déversaient des flots de pluie chaude sur la ville.

Rudger distinguait l'allée et un rectangle de lumière projeté depuis l'entrée, dans lequel se découpait une ombre humaine. Pour voir qui en était le propriétaire, Rudger aurait dû ouvrir la fenêtre et se pencher, mais sa curiosité avait des limites, surtout qu'une soudaine bourrasque envoya un vilain paquet de pluie sur la vitre.

Il sursauta de frayeur et rebondit sur le lit. Tout tremblant, il entendit ensuite la porte d'entrée claquer.

Il s'avança de nouveau. Malgré l'eau qui ruisselait contre le carreau, il repéra une silhouette qui remontait l'allée. Un homme corpulent, protégé par un parapluie et portant un short.

Quand l'homme atteignit le trottoir, il se retourna vers la maison et resta planté là, comme s'il attendait quelque chose.

Tiens, c'est bizarre, songea Rudger.

Et soudain, plus de lumière.

Au rez-de-chaussée, Goldie criait dans l'obscurité.

— Hé, Amanda ! Pas de panique, c'est juste une coupure de courant. Ne t'inquiète pas. Tu es où ?

Coupure de courant ou pas, Amanda n'allait pas se laisser berner et révéler sa cachette. Elle resta tranquillement assise sans dire un mot.

— Attends, je vais sortir mon portable pour l'utiliser comme lampe torche, annonça Goldie.

Amanda entendit un bruit sourd, sans doute le téléphone qui tombait par terre. La baby-sitter était à l'évidence maladroite. Amanda préféra ne pas entendre les jurons qu'elle émit.

— Mais t'es où à la fin ? marmonna Goldie, agacée.

Amanda ne pouvait pas voir derrière les coins, ni dans le noir, mais elle visualisait la scène : Goldie, à quatre pattes dans l'entrée, cherchant son appareil à tâtons. Peut-être Amanda devrait-elle sortir de sa cachette pour l'aider ? Mais alors, elle perdrait la partie, or elle n'aimait pas perdre. Elle décida de rester sous le bureau, et une seconde plus tard elle fut bien contente de sa décision.

Un éclair illumina la scène pendant un quart de seconde et, à travers les pieds en bois de la chaise, Amanda vit deux jambes pâles et maigrelettes au milieu de la pièce.

Et puis tout redevint noir.

Amanda retint son souffle et se couvrit la bouche de la main. Son cerveau en ébullition lui murmurait : *Tais-toi et ne bouge pas.*

La pluie cinglait les vitres et Goldie farfouillait toujours dans l'entrée. (Amanda l'entendit se cogner contre la console où on posait le courrier.)

Amanda attendit le prochain coup de tonnerre et l'éclair qui l'accompagnerait. Elle n'osait plus respirer, encore moins bouger. La seule chose qu'elle savait du coup d'œil fugitif qu'elle avait eu, c'est que ces jambes n'étaient pas des jambes qu'elle connaissait. Elles n'étaient ni à Goldie, ni à Rudger, ni au chat et pas à elle. Or il n'y avait personne d'autre dans la maison. Ou plutôt, *il aurait dû* n'y avoir personne d'autre dans la maison.

De toutes les jambes qu'elle avait passées en revue, c'étaient les siennes les plus ressemblantes. Une robe noire, des chaussettes blanches, des chaussures noires à boucle. Non qu'Amanda ait jamais porté des chaussures à boucle ailleurs qu'à l'école. Là, tout de suite, elle était pieds nus.

— Amanda ! Viens m'aider à chercher mon téléphone. Il a dû tomber sous un meuble. Tu sais où je peux trouver une lampe électrique ?

Un éclair illumina soudain la pièce et la maison fut ébranlée par un violent coup de tonnerre, le plus gros de la soirée, juste à la verticale.

Amanda fixait des yeux l'endroit où elle croyait avoir vu les jambes de la fillette, mais cette fois-ci, rien. Elles avaient disparu.

À la place, entre les pieds de la chaise, flottait un visage. Un visage de fille au teint gris, encadré de longs cheveux noirs tout raides. Un visage triste, sinistre, à la bouche pincée, qui la regardait bien en face.

Et la pièce fut de nouveau plongée dans l'obscurité.

Amanda fit alors quelque chose qui la surprit elle-même, quelque chose qui ne lui ressemblait pas : elle cria. Sans réfléchir, elle donna un coup de pied dans la chaise, à l'endroit où la fillette était apparue à quatre pattes.

Elle se dit plus tard que c'était ridicule de hurler comme ça (de hurler comme une fille) alors qu'elle avait juste vu un visage éclairé dans la pénombre. Et encore, peut-être pas ; il lui était apparu de façon si fugace… Était-elle même sûre d'avoir vu un visage en vrai ? (Réponse à cette question, après un instant de réflexion : oui.)

Quelques secondes plus tard, Goldie accourut dans le bureau, se prit les pieds dans la poubelle et jura de plus belle, son portable braqué devant elle, l'écran projetant une lueur bleuâtre.

Et il n'y avait personne d'autre dans la pièce.

Goldie tira la chaise et tendit la main pour aider Amanda à se relever.

Aucun doute possible : elles étaient les deux seules personnes présentes. Amanda regarda partout et Goldie pointa son téléphone dans tous les coins.

— Il y avait une fille, là, à l'instant, haleta Amanda.

— Eh bien, il n'y a plus personne, rétorqua Goldie en posant la main sur l'épaule d'Amanda. Tu as dû l'imaginer. C'est à cause du noir, du noir imprévu. Les coupures de courant, ça peut faire peur. Allons, allons…

Et elle lui tapota la tête, ce qui, en toute autre circonstance, aurait horripilé Amanda, mais là elle ne le remarqua même pas, tant elle était occupée à réfléchir.

Amanda savait qu'elle ne l'avait pas imaginée (ou bien si ?), mais elle ne savait que dire d'autre. Son cerveau explorait mentalement toute la maison en se demandant où la fillette avait bien pu aller, et tout d'un coup elle pensa à Rudger.

🐈

À l'étage, Rudger était toujours dans la chambre. Il n'y voyait pas mieux dans le noir qu'un garçon réel.

Quand il entendit Amanda crier, il courut vers la porte, rectangle noir dans le mur gris foncé. Avant qu'il ait pu l'atteindre, un troisième éclair projeta sa lumière crue par la fenêtre et il la vit, debout, juste là.

La fille. La fille avec la robe noire et les chaussettes blanches. La fille aux longs cheveux noirs et raides qui masquaient à moitié ses yeux enfoncés et tristes.

Il la reconnut d'après la description d'Amanda. C'était l'amie imaginaire de l'homme venu faire un sondage l'après-midi même. Aucun doute là-dessus.

Même si Amanda ne lui avait pas dit ce qu'était cette fille, Rudger l'aurait deviné. Il n'aurait su dire pourquoi, il n'aurait su dire ce qui lui mettait la puce à l'oreille, mais il savait qu'elle n'était pas réelle. Comme le dit le vieil adage, peut-être qu'on reconnaît toujours les siens.

Tout cela le temps d'un éclair. Il ne l'avait pas plus tôt vue et reconnue que l'obscurité retombait et qu'il se retrouvait propulsé en arrière.

Elle avait dû courir vers lui, et, à présent, ses mains glaciales, agrippées à son T-shirt, le poussaient en arrière vers le milieu de la pièce.

Elle était plus forte qu'il ne l'aurait cru. Plus forte qu'Amanda, même. (Il arrivait qu'un désaccord avec Amanda se transforme en partie de catch, et Rudger perdait toujours, à la fois parce qu'elle était assez costaud pour une fille et parce qu'elle trichait.)

Rudger se prit le pied dans un tapis et tomba à la renverse, la fille par-dessus lui, ses longs cheveux lui balayant le visage comme des toiles d'araignées qu'il essayait d'écarter en soufflant dessus.

— Pousse-toi ! ahana-t-il. Lâche-moi !

Elle se poussa, mais ne le lâcha pas.

Alors, toujours dans le noir, elle se leva et le tira vers la fenêtre. Le tapis sur lequel il était tombé glissait sur le sol, et lui avec, son T-shirt à moitié enlevé.

Un nouvel éclair déchira le ciel et Rudger leva les yeux pour voir deux bras tout pâles et ces cheveux noirs tout raides. Il ne vit pas son visage, détourné, mais il sentait bien qu'il y avait quelque chose de totalement anormal en elle.

Ce n'était pas juste qu'elle l'avait attaqué, fait tomber et tiré vers la fenêtre. Évidemment, tout cela était mal, et inattendu, mais en plus, en plus du tour étrange et effrayant que prenait cette soirée, il y avait autre chose. Il le sentait dans son cœur, qui battait plus lentement et non plus vite. Dans ce picotement le long de la colonne vertébrale, comme un goutte-à-goutte de langueur qui se diffusait en lui. Cette fille n'était pas normale.

Elle le hissa sur le lit d'Amanda et le lâcha enfin. Il la voyait distinctement à présent, éclairée par la lueur orange du réverbère en face de la fenêtre. Elle manipulait le loquet du bout du doigt.

Elle siffla entre ses dents. Il y eut un déclic, puis elle tourna la poignée et la pluie s'engouffra dans la chambre.

— Au secours ! cria Rudger en roulant sur lui-même pour descendre du lit. Amanda !

Une lumière différente balaya la fenêtre, puis le mur de la chambre, et Rudger entendit le moteur d'une voiture, puis le silence quand le contact fut coupé.

Ne restait plus que le tambourinement de la pluie.

La fille siffla de nouveau entre ses dents alors que résonnait le claquement d'une portière.

Elle se retourna pour lui faire face. Rudger ne distinguait pas ses yeux, mais il sentait son regard glacé le brûler. Il avait les genoux en compote.

Il y eut un grésillement, un cliquetis derrière lui et il entendit une clé tourner dans la serrure de la porte d'entrée.

Soudain, les lumières se rallumèrent dans toute la maison. Entrée, bureau, cuisine, palier.

Un grand rectangle de lumière vive pénétra dans la chambre d'Amanda, s'étirant sur le tapis de la porte jusqu'au lit.

Rudger jeta un rapide coup d'œil circulaire, comme si la lumière était une amie qu'il voulait accueillir dignement, et il se sentit plus léger. Pas comme s'il s'était délesté d'un fardeau ; plutôt comme si quelque chose avait fondu — une inquiétude, une souffrance, une peur. Quand il se tourna de nouveau vers la fenêtre, la fille avait disparu. Ne restaient que la nuit et la pluie.

— Je suis rentrée ! lança Mme Chamboultou en ouvrant la porte d'entrée. Amanda ? Marigold ? Quelle plaie, cet orage ! Ruth ne voulait pas laisser son petit Simon tout seul, imbécile de chien, et M. Stott avait peur que Bishops Road ne soit encore inondée, alors la réunion a été repoussée, ce qui est dommage parce que…

— Maman ! cria Amanda en se précipitant dans l'entrée. Il y a eu une coupure de courant, et toutes les lumières se sont éteintes, et il y avait une fille dans ton bureau, et elle fichait vraiment les chocottes et…

— Oh là ! Pas si vite, ma chérie ! la calma sa maman en accrochant son imperméable au porte-manteau près du radiateur. Qu'est-ce que c'est que cette histoire ?

— Bonsoir, madame Chamboultou, dit Goldie en arrivant dans l'entrée. On jouait à cache-cache et il y a eu une coupure de courant, c'est tout. Amanda était dans le bureau, et elle a cru voir quelqu'un quand il y a eu un éclair. Elle m'a fichu une de ces frousses en criant…

— Je n'ai pas crié ! s'insurgea Amanda pour garder la face. Je ne suis pas une poule mouillée.

— Bien sûr que tu n'as pas crié, ma puce, renchérit sa maman.

Elle s'assit sur une marche de l'escalier pour faire un câlin à sa fille, qui se dégagea de son étreinte.

— Tu vois, maman, il y avait une fille, la même fille que cet après-midi…

— Ah là là, toi et ton imagination !

— Non, je ne l'ai pas imaginée. Elle était…

— Il n'y avait personne, intervint Goldie. On a regardé partout, et il n'y avait aucune cachette, sauf… sous le bureau.

Amanda serra les dents, prise d'une soudaine appréhension.

— Et c'est là que se cachait Amanda. Ha ! Je t'ai trouvée !

— Ça ne compte pas. Tu ne m'as pas trouvée, même pas vrai ! Dis-lui, maman.

— Je t'ai aidée à sortir de derrière la chaise. Je t'ai tirée de ta cachette, alors je t'ai trouvée. C'est moi qui ai gagné !

— C'est pas juste. Je vais chercher Rudger.

Rudger était assis sur le lit défait. Il avait refermé la fenêtre, mais son T-shirt était toujours tire-bouchonné et ses cheveux en pétard (enfin, plus que d'habitude).

— Tu ne vas pas croire ce qui est arrivé, lança-t-il à la vue d'Amanda. Toutes les lumières se sont éteintes, et il y avait la fille, là, celle que tu as vue avec l'inconnu. La fille imaginaire.

— Oui, je sais, lâcha Amanda d'un ton supérieur, comme s'il ne lui annonçait là rien de nouveau. Je l'ai vue en bas.

— Elle m'a attaqué. Elle a essayé de me faire passer par la fenêtre…

Amanda le regardait sans trop l'écouter. La baby-sitter avait triché ; cette injustice occupait toutes ses pensées.

— Tu sais ce qui s'est passé ? demanda-t-elle en ignorant Rudger. Goldie est convaincue qu'elle m'a trouvée, mais en fait j'étais déjà sortie de ma cachette. Tu imagines, un peu ?

Rudger resta un moment bouche bée.

— Tu as entendu ce que je viens de te dire ? La fille, celle qui fout la trouille, avec les cheveux et les sifflements bizarres, elle m'a attaqué. C'était horrible. Elle avait les mains toutes…

— Oh, n'en rajoute pas. Tu fais toujours toute une histoire d'un rien. Je l'ai vue en bas et elle ne faisait pas si peur que ça.

— T'as pas eu à la toucher, toi, je parie ! lança Rudger en frissonnant à ce souvenir. Ces mains qu'elle a. Brrrr ! Toutes froides et moites. Pas normales. C'était juste horrible.

— Rudger, tu as cassé ma tirelire ! s'indigna soudain Amanda.

Rudger n'avait même pas remarqué. La boîte aux lettres rouge avec une petite fente sur le dessus, cadeau d'anniversaire de Papy et Mamie Chamboultou, gisait au sol en mille morceaux, son contenu répandu par terre.

— Désolé, balbutia-t-il. Elle a dû la faire tomber quand elle est montée sur le rebord de la fenêtre.

— C'est ça, oui !

Amanda balaya son explication d'un revers de main et alla s'agenouiller près du lit pour ramasser les pièces. Rudger la dévisagea, le cœur gros.

— Elle aurait pu me faire basculer par la fenêtre, répéta-t-il en la regardant récupérer son argent. J'aurais pu être enlevé par une fille imaginaire genre fantôme et toi tu… tu ne m'écoutes même pas.

Son attitude le rendait fou. Fou furieux. Elle était censée être son amie, sa meilleure amie, et elle ne l'écoutait même pas. Il venait de vivre l'expérience la plus terrifiante de sa courte vie (deux mois, trois semaines et un jour), et elle, qu'est-ce qui la préoccupait ? Des pièces tombées par terre et une partie de cache-cache à la noix. On est en droit d'attendre autre chose d'une amie, non ? Elle aurait dû lui dire qu'elle compatissait et lui demander ce qu'elle pouvait faire pour le réconforter. Mais non, elle ramassa les dernières pièces et les empila sur sa table de chevet avant de se retourner et de lui adresser le genre de sourire qu'une araignée affamée réserve à une mouche épuisée.

Quoi encore ? se demanda-t-il.

— Trouvé ! exulta Amanda en le pointant du doigt. C'est la cachette la plus nulle que j'aie jamais vue. C'est moi qui gagne !

Et elle brandit le poing comme un champion.

— Minute ! protesta Rudger. C'est pas juste. Je ne savais pas que la partie continuait.

— Je n'ai jamais dit le contraire, alors c'est moi qui gagne.

— J'en ai assez. Je retourne dans mon placard.

Il traversa la pièce, entra dans son repaire et referma la porte. *Ça lui servira de leçon*, pensa-t-il.

QUATRE

— Maman, on peut aller à la piscine, aujourd'hui ? demanda Amanda le lendemain matin.

Elle agita sa cuillère en direction de la fenêtre. La pluie avait cessé, mais la lumière ambiante était grise comme de l'eau de vaisselle ; d'immenses flaques subsistaient et de l'eau débordait des gouttières bouchées.

— On ne peut pas aller jouer dans le jardin, et ça fait un temps fou qu'on n'est pas allés nager, Rudger et moi.

Rudger lui jeta un coup d'œil. Visiblement, elle n'avait toujours pas remarqué qu'il ne lui adressait plus la parole.

— Pourquoi pas ? dit sa maman. De toute façon, il faut que j'aille en ville, alors on pourrait…

—Youpi !

Amanda engloutit bruyamment sa dernière cuillerée de céréales, sortit de table d'un bond et se précipita au premier.

Sa maman attrapa son bol, empila dessus celui de Rudger et vida dans la poubelle les céréales qu'il n'avait pas mangées. Elle se frotta les yeux, l'air fatigué, posa les bols dans l'évier, fit couler de l'eau chaude et ajouta une giclée de liquide vaisselle.

Rudger alla patienter dans l'entrée.

Il allait donner une bonne leçon à Amanda. Il attendrait qu'elle se rende compte qu'il était vexé et qu'elle lui présente ses excuses, et là il lui pardonnerait et tout pourrait redevenir comme avant.

Tel était son plan, et il allait s'y tenir.

Amanda arriva en bas les yeux tout brillants et son sac à dos à la main.

— J'ai mon maillot, mes lunettes, des serviettes et je t'ai pris un maillot pour toi. Allons voir si maman est prête.

Le temps que Rudger ne réponde pas, Amanda avait déjà filé dans la cuisine.

Le problème avec Amanda, comprit Rudger, c'est qu'elle ne remarquait pas les choses.

Elle n'avait pas remarqué qu'il avait eu peur, la veille au soir, et elle n'avait pas remarqué qu'il était resté muet ce matin. Elle vivait dans son monde, à babiller en continu comme si Rudger buvait ses moindres mots (ce qui était le cas, bien sûr, puisqu'il attendait des excuses). Il avait beau tendre l'oreille, aucune des centaines de paroles qu'elle déversait en cascade n'était le « désolée » qu'il espérait.

Et même si un silence est on ne peut plus silencieux, le silence de Rudger arrivait à se faire plus silencieux à chaque minute qui passait. Ce n'est pas parce qu'elle l'avait imaginé qu'elle avait le droit d'ignorer ses sentiments.

Il croisa les bras et regarda dehors.

Sur le trottoir d'en face, sous l'arbre du voisin, il crut voir deux silhouettes, mais quand la maman d'Amanda sortit de l'allée en marche arrière, son angle de vision changea. Il se retourna pour regarder par la lunette arrière, mais elles avaient déjà disparu.

Devait-il en parler à Amanda ? Mais que lui dirait-il ? Elle se moquerait de lui. Si elle n'avait rien remarqué, alors peut-être que les silhouettes n'étaient pas là. D'habitude, elle était douée pour remarquer les choses… sauf, évidemment, quand elle ne l'était pas. Il ne pipa mot.

À la réflexion, c'était sans doute une illusion d'optique, un souvenir de la veille qui s'imposait à son esprit. Il n'avait pas très bien dormi, il s'était tourné et retourné dans son placard — d'ailleurs, il bâilla à s'en décrocher la mâchoire.

— Moi, ma nage préférée, c'est le dos crawlé parce qu'on ne se prend pas trop d'eau dans les yeux, expliqua Amanda sans remarquer grand-chose d'autre que le son de sa propre voix. Je me suis toujours dit qu'ils devraient peindre des dessins au plafond, une BD par exemple, comme ça on pourrait la lire en nageant. Tu ne trouves pas ?

Elle continuait à lui parler alors qu'il avait les bras croisés et les yeux rivés sur la vitre.

— Je dois être la quatrième meilleure nageuse de toute ma classe. Vincent est meilleur que moi, parce qu'il a des

jambes plus longues, et Taylor a une tronche de poisson, alors elle est meilleure que tous les copains. Et je n'ai jamais vu nager Absalom, du coup je ne sais pas s'il est meilleur ou pas. Peut-être que je suis la troisième meilleure, en fait. Qu'est-ce que tu en penses, Rudger ?

Il y eut un blanc, puis elle enchaîna.

— Ce que je préfère à la piscine, c'est l'odeur. C'est curieux, hein ? Et le bruit, aussi. C'est comme une église remplie d'eau, ou une gare de bus, plutôt. Ça résonne. L'odeur, elle est bizarre mais j'aime bien. Il y a des gens qui n'aiment pas. Julia, elle dit que ça lui pique les yeux. C'est bien son genre de dire un truc comme ça, elle est allergique aux cacahuètes, de toute façon.

Rudger était très fâché contre elle. Sa colère contenue lui donnait l'impression que ses oreilles allaient exploser façon Cocotte-Minute pour laisser s'échapper de grands jets de fumée. Et elle, elle continuait son monologue.

— Tu ne comptes même pas t'excuser ? lâcha-t-il quand elle s'arrêta enfin pour reprendre sa respiration.

Amanda se tourna vers lui bouche bée.

— Mais de quoi tu parles ? demanda-t-elle à mi-voix pour que sa maman n'entende pas. M'excuser ? Pourquoi ?

Ce fut au tour de Rudger d'en rester baba. Après tout ce qui s'était passé, après la matinée de punition boudeuse qu'il lui avait imposée, elle n'avait sincèrement aucune idée de ce qui avait pu le contrarier. Elle n'avait même pas remarqué.

— Qu'est-ce qui se passe ? murmura-t-elle.

— Hier soir…

— Ah, ça ! lança-t-elle d'un ton dégagé. Je t'ai pardonné depuis longtemps.

Exaspéré, Rudger tapa du pied.

— Non, non, non et non ! dit-il en serrant les dents. Ce n'est pas juste. Ce n'est pas à toi de me pardonner. Ce n'est pas comme ça que ça marche.

— Et comment tu saurais comment ça marche, toi ? rétorqua Amanda, que cette conversation commençait à lasser. Tu es mon ami imaginaire à moi, Rudger, et pas l'inverse. Moi, je suis vivante depuis bien plus longtemps que toi. Toi, tu n'as que deux mois, trois semaines et deux jours. Tu ne sais rien sur rien. Si je n'étais pas là pour inventer des trucs tout le temps, eh bien, tu… je ne sais pas, tu disparaîtrais, sans doute.

— Tout va bien, ma chérie ? lança sa maman par-dessus son épaule.

— Oui, oui, maman, dit Amanda d'un ton enjoué.

— C'est même pas vrai. Je ne peux pas disparaître, protesta Rudger tout en songeant qu'elle avait peut-être raison.

— Si, c'est vrai, siffla Amanda.

— Pfff…

La maman d'Amanda gara la voiture. Ils étaient arrivés à la piscine.

— N'oublie pas ton sac à dos, ma chérie.

Amanda déboucla sa ceinture, récupéra son sac entre ses pieds, ouvrit la portière et descendit.

Rudger se glissa le long de la banquette pour sortir du même côté, et ils se retrouvèrent sur le macadam entre deux véhicules garés.

— Attends-moi là, Amanda, et surveille la voiture une minute. Je vais juste en face chercher un ticket de stationnement.

Mme Chamboultou mit son sac en bandoulière et se dirigea vers l'horodateur.

Rudger sortit d'entre les deux voitures. Leur dispute (dispute où il avait entièrement raison) avait été interrompue, mais il n'allait pas laisser tomber. Il reprit le fil de la conversation à l'endroit où il risquait de disparaître si Amanda n'était pas là pour l'imaginer.

— Si c'est ça que tu crois, peut-être qu'on devrait tenter l'expérience. Peut-être que je pourrais m'éloigner un peu pour te prouver que je n'ai pas besoin de toi.

Il traversa la rue et se posta entre deux autres voitures sur l'autre trottoir, puis leva les deux mains pour qu'elles soient bien visibles.

— T'as vu ? Je ne disparais même pas.

— Ne sois pas ridicule, Rudger, lâcha Amanda en tendant la main dans sa direction. Reviens.

— Pas avant que tu te sois excusée.

Amanda soupira, puis inspira profondément. Elle ne voulait pas perdre Rudger. Vincent et Julia étaient de bons amis, mais son meilleur ami, c'était lui et personne d'autre. Avec lui, et lui seul, elle pouvait partager de folles aventures. Il n'y avait qu'un ami imaginaire pour ça. Les autres essayaient bien, mais ils ne pouvaient que faire semblant. Rudger, c'était pour de vrai.

— Pardon, s'excusa-t-elle. Je suis désolée de t'avoir énervé.

Puis, sans crier gare, dans ce genre de bond soudain qui l'avait sauvée de tigres et d'aliens tout l'été, elle courut entre les voitures pour donner à Rudger une bourrade amicale sur le bras (elle n'était pas trop câlins).

Elle l'atteignit un quart de seconde avant qu'une vieille voiture bleue freine sec en faisant fumer les pneus et s'arrête à l'endroit précis d'où elle s'était élancée. Si elle avait été moins rapide, elle aurait été écrasée comme une crêpe pour s'être jetée sous les roues d'une voiture en voulant se jeter dans les bras de Rudger.

Son cœur battait à tout rompre dans sa poitrine. Elle n'avait pas beaucoup couru, juste sur quelques mètres, mais elle se sentait à court d'haleine.

Elle avait froid, comme si le soleil s'était soudain caché derrière un nuage. Elle leva les yeux et constata, de fait, que le soleil s'était caché derrière un nuage.

— Oh, Amanda ! dit Rudger en lui passant un bras autour des épaules. Cette voiture… cette voiture a failli te renverser !

— Jeune fille ! dit le conducteur en descendant de son véhicule, sa voix tremblant d'inquiétude. Je ne t'ai pas vue déboucher. J'ai eu tellement peur, tellement peur. Tu vas bien ? Tu n'es pas blessée ? Ta chère maman est-elle dans les parages ?

Rudger et Amanda levèrent les yeux pour découvrir un grand homme chauve et corpulent appuyé d'une main sur sa portière ouverte. Sa moustache rousse frémissait à chacune de ses paroles et sa chemise hawaïenne détonnait dans la grisaille moite du matin.

— C'est lui, pas vrai ? demanda Rudger.

— Oui, acquiesça Amanda, le souffle court. Ma maman revient dans une seconde, informa-t-elle l'inconnu d'une voix forte. Elle est partie chercher un ticket. Merci beaucoup de ne pas m'avoir écrasée, mais tout va bien maintenant.

— Tant mieux ! commenta l'homme en hochant la tête. Je suis bien content que tu n'aies rien. Je n'ai aucune envie de te faire du mal. D'ailleurs, je n'ai aucun intérêt pour ta personne. Mais je vois ton ami…, ajouta-t-il en regardant Rudger (qui n'avait jamais été vu par un adulte auparavant, et qui en eut presque la nausée).

L'homme, dont Amanda se souvenait qu'il s'appelait M. Butor, se hissa sur la pointe des pieds pour regarder derrière eux par-dessus les toits des voitures garées.

— Et je constate qu'il y a une longue file d'attente devant la machine, ajouta-t-il. Je crains que ta maman n'en ait pour un bon moment.

Rudger ne sut pas ce qui le poussa à se retourner. Ce ne fut pas un crissement sur le gravier, parce qu'il n'y eut pas de crissement sur le gravier ; ce ne fut pas un parfum

apporté par la brise, parce qu'elle ne portait aucun parfum ;
ce ne fut même pas une soudaine sensation oppressante
dans son cœur parce que… en fait si, c'était peut-être ça.
Quoi qu'il en soit, Rudger se retourna pour regarder entre
les véhicules garés, et il la vit.

Elle se tenait au bout de l'allée flanquée de voitures,
immobile et silencieuse. On aurait dit qu'elle leur bloquait
la seule issue possible, mais ce n'était pas le cas.

— Cours, Amanda ! cria Rudger en la poussant à côté
du gros monsieur. Va retrouver ta maman !

Judicieux conseil. Sans regarder en arrière, Amanda
contourna à toutes jambes la voiture bleue de M. Butor,
s'engouffra entre la voiture de sa mère et celle d'à côté
et fonça en direction de la machine à tickets. Elle était
certaine que M. Butor et la fille ne les suivraient pas s'ils
savaient qu'Amanda et Rudger couraient rejoindre sa mère.
Ils seraient en sécurité auprès d'elle, pas vrai ?

Mais quand elle jeta un coup d'œil en arrière, elle vit
qu'elle était seule. Rudger n'était pas avec elle. Elle s'arrêta
de courir et constata qu'il n'y avait personne avec elle.
Personne ne l'avait suivie. Ni Rudger ni personne.

Rudger poussa Amanda pour la lancer dans sa course. Il
comptait bien la suivre pour échapper au curieux duo, mais
une main glacée enserra son poignet avant qu'il puisse faire
un pas.

La fille avait bougé plus vite que l'éclair et elle le tenait
fermement. Il lui décocha un coup de pied, en vain, et elle
attrapa son autre poignet.

Il avait beau se débattre, elle avait sur lui une emprise puissante, froide, qui le vidait de son énergie. Comme si elle lui avait injecté un produit relaxant mais cauchemardesque ; comme si Rudger était un poisson qu'elle aurait pêché et laissé suffoquer sur la terre ferme. Il se sentait tout mou, engourdi et sale.

Il se retrouvait à quatre pattes dans une flaque et il avait froid aux genoux, sauf que ce n'était rien comparé au froid qu'il ressentait intérieurement. Il essaya de se dégager, de donner des coups de pied, mais ses tentatives ne faisaient pas plus d'effet à la fille que les efforts d'une méduse se battant contre un requin.

Et alors une ombre tomba sur son visage.

M. Butor s'était agenouillé comme pour refaire son lacet et sa moustache frémissait. C'est bizarre, les trucs qu'on remarque quand on est dans une situation critique face à un destin mystérieux : la moustache de M. Butor frémissait alors même qu'il ne parlait pas.

En fait, il était en train d'ouvrir la bouche, de l'ouvrir plus grand qu'il n'était humainement possible, de se décrocher la mâchoire ou presque, comme un serpent, et une haleine chaude balaya le visage de Rudger. Une odeur de désert sec, rouge, saturé d'épices, qui imprégnait l'air humide, le ciel gris et lourd, le macadam couvert de flaques. Et emplissait le monde de Rudger.

Dans cette bouche anormalement béante, Rudger vit des dents qui n'avaient rien de normal non plus. Carrées, émoussées, toutes identiques, elles s'alignaient en une spirale infinie jusqu'au fond de sa gorge. On aurait dit un

tunnel carrelé de blanc s'enfonçant à perte de vue, avec un minuscule point de ténèbres absolues tout au bout, si loin qu'il aurait dû ressortir derrière la tête de M. Butor, mais évidemment que non, sinon c'était de la folie pure. En réalité, et c'était tout aussi fou, le tunnel aboutissait ailleurs.

Le vent sec et imprégné d'épices qui lui balayait le visage se dissipa, et M. Butor commença à aspirer. Au même instant, la fillette lâcha Rudger et s'écarta vivement. Il gisait sur le bitume, le dos contre l'enjoliveur froid d'une roue de voiture, et il se sentit soulevé et aspiré avec le vent.

Il eut l'impression que le monde avait basculé. Au lieu d'être un tunnel s'enfonçant au loin dans l'inconnu, la bouche de M. Butor s'était transformée en un trou, un puits, un gouffre, un abîme dans lequel il allait être précipité.

Il entendit alors une voix familière et chérie prononcer son prénom.

Amanda vit M. Butor se pencher au-dessus de Rudger. La fille bizarre et muette était recroquevillée dans un coin, à les regarder d'un œil vide tout en se frottant lentement les mains.

Amanda courut vers eux et donna un grand coup de pied dans la cheville de l'homme. Et un deuxième.

Celui-ci souffla et souffla encore en se redressant à grand-peine, puis tendit la main pour s'appuyer sur le pare-chocs de la voiture la plus proche, qui grinça et s'affaissa sous son poids. Une fois debout, il se retourna lentement pour faire face à Amanda, un vilain sourire sous sa moustache broussailleuse.

— Tu es revenue, petite Amanda, dit-il d'une voix terrifiante. Comme tu es mignonne. Comme tu es gentille.

Rudger se remit sur ses pieds et, contournant les jambes du gros homme, attrapa Amanda par le bras et l'entraîna au loin.

Ils coururent ensemble.

Ils coururent pour échapper à M. Butor et à la fille, courbés en deux à couvert des voitures, retraçant les pas d'Amanda en direction de l'horodateur.

Amanda n'osait pas se retourner. Entre deux autos sur sa gauche, elle vit filer une ombre qui se maintint à leur hauteur à une rangée de distance. C'était la fille, aucun doute là-dessus, mais cette fois-ci, Amanda, rassurée de voir Rudger devant elle, continua de courir. Il fallait qu'ils rejoignent sa maman.

Le tonnerre gronda et les premières gouttes de pluie leur tombèrent sur le visage. Ils émergèrent entre les deux dernières voitures et à cet instant, de leur droite, du côté où ils ne regardaient pas, une voiture déboucha de nulle part.

Elle ne roulait pas vite, elle avançait au pas dans le parking, mais des fois, pas vite c'est déjà trop vite.

Rudger rebondit sur le capot et retomba lourdement au sol. Il se cogna le coude et s'écorcha le genou, mais sans se faire trop mal. Il se remit sur ses pieds et épousseta son jean du plat des mains.

— Amanda ? appela-t-il en regardant autour de lui. Amanda ?

Amanda gisait à terre. Elle aussi s'était fait renverser. Sa tête reposait sur le bitume au centre d'une petite flaque brune. Elle avait les yeux fermés.

Son bras droit levé au-dessus de sa tête formait un angle bizarre. Elle avait une expression paisible mais étrange sur le visage. Et là, Rudger se rendit compte qu'il ne la voyait pas respirer.

Est-ce qu'elle respirait ? Il n'arrivait pas à voir.

Avant qu'il puisse la rejoindre, elle se retrouva entourée par une foule.

La conductrice du véhicule avait ouvert sa portière et titubait en répétant : « Elle a déboulé comme ça... Je n'ai pas pu m'arrêter... Elle a déboulé comme ça... » Elle avait le teint cireux et des larmes roulaient sur ses joues.

Quelqu'un appelait une ambulance. Une autre personne avait collé son oreille sur la poitrine d'Amanda et serrait le poignet du bras qui ne formait pas un angle inquiétant. Une troisième personne pointait du doigt l'endroit d'où ils étaient arrivés en courant et disait quelque chose.

La pluie redoublait.

Et la maman d'Amanda arriva, en larmes, et voulut soulever sa fille. On essaya de l'en empêcher en lui disant qu'il ne fallait pas la déplacer, mais elle s'agenouilla quand même sur le macadam et la serra dans ses bras et lui caressa les cheveux.

Et la foule les masquait à la vue de Rudger et, comme personne ne pouvait le voir, il se fit écarter encore plus loin de la scène.

Et l'ambulance arriva pour emporter Amanda.

CINQ

Il y avait un trou au milieu de Rudger. Un trou à l'endroit où s'était trouvé son cœur. Enfin, où il s'était imaginé qu'il se trouvait, ou plutôt où Amanda s'était imaginé qu'il se trouvait. Il était tout creux maintenant — il sonnait le creux comme une boîte de conserve vide.

Quand il regarda alentour, il constata qu'il se trouvait toujours sur le parking. L'ambulance avait quitté les lieux depuis longtemps. M. Butor et la fille s'étaient évaporés, peut-être effarouchés par la foule. Et la plupart des véhicules étaient partis aussi, sauf celui de la maman d'Amanda, qui était montée dans l'ambulance. Reviendrait-elle le chercher ? Que faisait-on quand de tels drames se produisaient ?

Rudger n'en savait rien.

Il y avait tant de choses qu'il ignorait. Il ne connaissait pas le chemin du retour. Il ne savait pas s'il avait encore un foyer, ni s'il y serait le bienvenu en l'absence d'Amanda. À quoi bon y être si Amanda n'était pas là pour le voir ?

Que ferait la maman d'Amanda dans une maison vide ? Être seul est affreux. Il repensa aux photographies d'Amanda et de sa maman accrochées au mur de l'entrée, et à celle de sa maman et de son papa avant sa mort, juste avant la naissance d'Amanda, et à celles de ses grands-parents et de ses oncles et tantes. Toutes des photos d'autres gens. Aucune de lui. Aucune de Rudger.

Sans Amanda pour le voir, ce ne serait plus sa maison, si ?

Il leva les mains. On ne voyait pas au travers, pas vraiment. Il n'avait pas disparu comme Amanda l'avait prédit, mais ses mains étaient devenues plus grises, moins opaques, un peu brumeuses. Quand il les agitait, elles laissaient une petite trace derrière elles.

La journée avait passé sans qu'il s'en rende compte. Les nuages avaient disparu, le soleil déclinait derrière la piscine et des ombres progressaient sur le bitume. Tant qu'il resterait sur le parking, il se rejouerait dans sa tête les événements qui s'y étaient déroulés. Il fallait qu'il s'en aille. S'il voulait réfléchir calmement, s'il voulait concevoir un plan, s'il voulait trouver quoi faire ensuite, il devait s'éloigner de cet endroit.

Et donc, parce qu'il fallait qu'il fasse quelque chose et parce qu'il ne savait pas quoi faire, Rudger courut.

Il dépassa au petit trot les dernières voitures et se faufila entre les derniers nageurs qui quittaient la piscine. (Ils ne pouvaient pas le voir, mais ils sentirent un petit coup de vent sur son passage et se demandèrent d'où venait cette vague odeur de poudre dans l'air.)

Il enfila au pas de course l'allée qui longeait le grand bâtiment. Il avait les poumons en feu, ses jambes le faisaient souffrir, mais il continua à courir, sous le toboggan en colimaçon de la piscine, à côté des jolies plates-bandes. Le gravier crissait sous ses pieds. Il évita un nid-de-poule, sauta par-dessus une flaque et se retrouva sur de l'herbe.

Derrière la piscine, au bout d'une allée, se trouvait le parc municipal.

La vue d'une si belle étendue de verdure le requinqua un peu. C'était exactement le genre d'endroit qu'Amanda aurait su transformer par l'imagination en un univers nouveau. Il s'arrêta de courir et s'agenouilla. Mais il eut beau le contempler, employer toute sa volonté à le réinventer, le parc resta un parc. Il n'avait pas dans sa tête la même étincelle qu'Amanda, l'imagination nécessaire pour imaginer de nouveaux mondes.

D'ailleurs, songea-t-il avec une curieuse sensation de picotement, il n'avait même pas l'imagination nécessaire pour s'imaginer lui-même.

Il leva les mains et vit les contours des arbres se dessiner en transparence. Leurs feuilles aussi ; des feuilles floues et grisâtres, mais des feuilles quand même. Il était en train de disparaître. Sans Amanda pour penser à lui, pour se souvenir de lui, pour rêver de lui, pour le rendre réel, il s'effaçait peu à peu.

Rudger tombait dans l'oubli. Il disparaissait. Il s'évaporait.

Il passa sous l'ombre d'un arbre et en toucha l'écorce du bout du doigt. Elle avait une apparence brute, dure, rugueuse, mais la consistance de la guimauve. Son doigt diaphane la percevait à peine.

Il s'affala dans l'herbe, le dos appuyé au tronc de l'arbre. C'était confortable, comme se caler dans un oreiller.

Il disparaissait de partout, à présent.

Il avait de plus en plus sommeil.

Il ferma les yeux.

Comment ce serait, de s'effacer ? De disparaître complètement ?

Il le découvrirait bien vite, songea-t-il. Bien assez vite.

— Je te vois, dit une voix.

Rudger leva les yeux.

Qui avait parlé ?

Il ne vit d'abord pas la forme sombre, car, sous l'arbre, la lumière avait faibli. La nuit tombait, et le chat n'était qu'une forme sombre en forme de chat plus sombre que les autres formes sombres.

Un chat ?

C'était un chat qui venait de lui parler ?

Il ne dit rien, faute de savoir, au juste, quoi dire à un chat.

— Petit garçon, insista le chat. Je te vois.

Contre le dos de Rudger, le tronc de l'arbre devint soudain inconfortable. Son côté moelleux comme un coussin avait retrouvé la dureté de l'écorce. Rudger leva les mains. Difficile à dire dans la pénombre crépusculaire, mais il lui semblait bien avoir à nouveau de vrais doigts, et non plus des volutes de fumée.

— Tu me vois ? osa-t-il demander malgré sa gêne.

— Oh, oui, je te vois, répéta le chat.

— Mais personne ne me voit jamais.

— Si, forcément. Quelqu'un t'a forcément vu. Je connais ton espèce. Je sais ce que tu es.

— Et toi, tu es qui ? Ou plutôt, tu es quoi ?

— Moi, je suis Zigzag.

— Zigzag, répéta Rudger pour s'habituer à ce nom nouveau.

— Tout juste. Et toi, tu as un nom ? Je peux t'appeler « garçon », mais il y a tellement de garçons dans le monde que ça deviendrait vite compliqué.

— Je m'appelle Rudger.

— Hum.

Rudger aurait voulu voir l'expression du chat, mais il faisait trop sombre. Il avait une voix hautaine, un peu blasée, comme s'il aurait préféré être ailleurs, comme s'il avait eu mieux à faire. Rudger n'aurait su dire si le chat était vraiment blasé ou s'il avait vraiment mieux à faire ou si c'était juste une voix normale de chat. Il n'avait jamais entendu parler un chat.

Il se demanda si quelqu'un lui faisait une farce, mais qui ? Il aurait déjà fallu pouvoir le voir, or la seule personne qui l'ait jamais vu était Amanda. (Et M. Butor, se rappela-t-il avec un frisson.)

En repensant à Amanda, il se sentit s'effacer de nouveau.

— Ah, non, pas de ça ! intervint Zigzag. Je crois en toi, Rudger. Pas question que tu me fasses un *estompage*.

Rudger remarqua la façon qu'avait le chat de prononcer le mot en appuyant chaque syllabe, comme s'il s'agissait d'une maladie grave.

— C'est compliqué, hein, les premiers temps ? De tomber dans l'oubli… Mais ça vous arrive à tous, un jour ou l'autre. Viens avec moi. Allez.

— Je ne suis pas tombé dans l'oubli ! protesta Rudger, un peu en colère. Pas dans l'oubli, répéta-t-il d'une voix plus douce, parce que le chat n'y était pour rien et que lui-même en avait gros sur le cœur. Il y a eu un accident. Amanda s'est fait renverser, elle a été… (Il s'interrompit le temps de trouver le mot qu'il cherchait, puis il en employa un autre.)… blessée.

Le chat ne réagit pas.

— Je crois…, poursuivit Rudger à grand-peine tant les mots étaient durs à dire (mais il voulait les dire, il avait besoin de les dire). Je crois qu'elle est morte. Ils l'ont emmenée. Et moi je suis resté tout seul.

— Non, dit Zigzag d'un ton détaché. J'ai déjà vu ce qui se passe quand quelqu'un meurt. L'effet que ça produit sur les gens comme toi. Quand quelqu'un meurt, vous disparaissez d'un coup, comme si on fermait une porte. Pffft ! En une seconde. Toi, tu es juste en train de t'estomper, garçon. Et si tu t'estompes, c'est que tu es tombé dans l'oubli, voilà tout.

— Alors, elle est vivante ? s'écria Rudger, dont le cœur se remit à battre.

— De toute évidence, oui, sinon je ne serais pas là à te parler.

— Il faut que je la retrouve. Il faut que je la rejoigne.

— Et comment comptes-tu t'y prendre, petit feu follet ? Cinq minutes tout seul, et tu vas t'envoler en fumée. Je n'ai pas le temps de partir à la recherche de ton amie, mais je ne vais pas te laisser t'estomper. Je ne suis pas sans cœur. Je vais t'emmener dans un endroit où tu seras en sécurité.

Sur ces mots, le chat fit volte-face et s'éloigna en trottinant dans l'herbe haute sans jeter le moindre regard en arrière pour voir si Rudger suivait.

Rudger avait-il le choix ?

Non.

Il se remit sur ses pieds et suivit le chat.

Rudger suivit le chat à travers le parc jusqu'à la grille, puis dans la rue.

— Hé ho, moins vite ! cria-t-il.

Mais le chat ne ralentit pas.

Il trottina dans la rue, se faufilant entre les jambes des passants à leur insu, puis il vira dans une ruelle en face d'un kebab à l'éclairage criard. Des lumières violettes se reflétaient dans les flaques d'eau à l'entrée de la ruelle.

Rudger se hâta dans la même direction, craignant que le chat n'ait disparu le temps qu'il le rejoigne, craignant de se retrouver perdu dans une ruelle sans la moindre idée de quoi faire ensuite.

Mais le chat était là, assis sur une poubelle, se frottant les oreilles avec le dessous des pattes.

Un réverbère jetait par intermittence une lueur blafarde sur la poubelle et le chat. C'était la première fois que Rudger pouvait vraiment voir son... son quoi, d'ailleurs ? Son nouvel ami ? Son sauveur ? Son nouveau problème ? Difficile à dire.

Au ton de la voix de Zigzag, Rudger avait imaginé un chat raffiné, un dandy, un aristochat. S'il avait connu les différentes races (ce qui n'était pas le cas), il aurait songé à un siamois ou à un birman. Mais ce qui était posé sur la poubelle avait plus l'air d'un ramassis de morceaux de plusieurs autres chats qui auraient combattu dans l'armée (du côté des perdants).

Son pelage était emmêlé par endroits et manquant à d'autres ; sa queue, tordue à angle droit au milieu ; son œil droit, rouge et le gauche, bleu. Il était en partie marron, en partie blanc et en partie d'une couleur que Rudger n'aurait pu identifier avant de lui avoir d'abord donné un bon bain. Or Zigzag n'avait pas l'air d'un chat qu'on pouvait baigner sans une grosse dose d'efforts, de savon et de courage.

Zigzag avait tout du boxeur, du bagarreur, de la brute. C'était une personne dangereuse à connaître.

Pourtant, quand on y pensait (et Rudger y pensait), Zigzag était la seule personne qu'il connaissait. Tant qu'il n'aurait pas retrouvé Amanda, en tout cas.

— Qu'est-ce qu'on fait maintenant ?

— Je t'emmène quelque part où tu seras en sécurité, rétorqua le chat comme si c'était l'évidence même.

— Où ça ?

— Oh, pas loin, dit lentement le chat en regardant autour de lui comme s'il cherchait quelque chose. Il faut juste trouver la bonne porte au bon moment.

— C'est-à-dire ?

Zigzag bâilla, et ses dents (enfin, les dents qui lui restaient) jetèrent une lueur jaunâtre.

— Que de questions ! dit-il dans un autre bâillement. Je ne suis qu'un assistant, Rudger. Un bon samaritain. Si

je détenais toutes les réponses, tu crois que j'aurais cette allure-là ?

— Je n'en sais rien, c'est pour ça que j'ai posé la question. Amanda pose toujours des questions.

— Et elle obtient toujours des réponses ?

— Non, pas toujours, reconnut Rudger après réflexion.

— Et quand elle n'en obtient pas ?

— Elle en invente.

Zigzag éclata de rire. Un rire étrange, mi-ronronnement, mi-quinte de toux, mais dépourvu de toute cruauté.

— C'est sans doute pour ça qu'elle t'a imaginé, déclara le chat. Tu étais la réponse à une question pour laquelle elle n'avait aucune réponse.

Il se lécha le haut de la patte, remua les moustaches et descendit d'un bond de sa poubelle.

— Viens, je flaire une porte qui s'ouvre. Suis-moi.

Sur ce, il s'enfonça plus profond dans l'obscurité de la ruelle.

La ruelle débouchait sur une autre, qui débouchait sur une troisième, qui débouchait sur une quatrième.

Rudger avait du mal à distinguer Zigzag devant lui, mais le chat disait « Viens ! » ou « Par ici ! » ou « Je te vois ! » assez souvent pour lui permettre de ne pas perdre sa trace.

Rudger avait le sentiment qu'ils avaient emprunté trop de ruelles. Une ruelle doit bien aboutir quelque part, non ? Mais avec Zigzag, une ruelle menait à une autre, puis à une autre. Il faisait noir, il était tard et Rudger était fatigué, alors il se contenta de suivre le chat en remisant tous ses doutes dans un coin de sa tête.

Ce qui était certain, c'est qu'il était encore plus perdu que plus tôt dans la journée. Désespérément perdu.

— Nous y voilà ! lança Zigzag en pilant net.

— Où ça ?

Ils se trouvaient dans une ruelle qui ressemblait en tout point à la première. Elle débouchait même sur la rue par laquelle ils étaient arrivés. Rudger voyait l'enseigne au néon du kebab.

— À la porte de ta nouvelle vie, répondit le chat, qui se lécha la patte pour se frotter le museau.

— Quelle porte ? demanda Rudger en regardant autour de lui. Je ne vois pas de porte.

— Moi je la vois, dit Zigzag entre deux coups de langue sur sa queue.

Une lumière s'alluma alors, éclairant une porte en bois toute simple et entrouverte.

— Tu ferais mieux d'entrer, dit Zigzag. Je ne vais pas passer ma vie à te regarder. J'ai des choses à faire. Des choses importantes. Je flaire une souris. J'ai du travail. Allez, vas-y.

Rudger poussa la porte d'une main hésitante.

Il se retrouva dans un couloir tapissé d'un papier à minuscules motifs de fleurs bleues qui lui évoqua une vieille maison. Le parquet grinçait sous ses pieds. Malgré le courant d'air frais provenant de l'extérieur, il faisait chaud dans le couloir et ça sentait le renfermé. Rudger décela des odeurs de vieilles choses, de choses poilues, de chien mouillé ronflant au coin d'un feu.

À l'autre bout du couloir, une deuxième porte, elle aussi entrebâillée, d'où s'échappaient quelques lointaines notes de musique. Rudger avança. Il n'avait d'autre choix que d'avancer ou de retourner dans la ruelle, or le chat lui avait clairement fait comprendre qu'il n'allait pas passer sa vie à l'attendre là.

Il avança encore.

Il distinguait un peu mieux la musique, mais aussi d'autres bruits. Des bruits de voix. Il y avait des gens, là-bas, quelque part.

Il s'assit par terre, dos au mur, et tendit l'oreille.

Il avait peur.

Amanda l'avait toujours vu, mais jamais aucun de ses amis, pas plus que sa mère ou les voisins. Il lui était arrivé plusieurs fois d'escalader la palissade pour aller récupérer un ballon, un Frisbee ou un bâton de dynamite prêt à exploser, et jamais ils ne lui avaient adressé la parole. Comment réagirait-il s'il passait cette porte et découvrait plein de gens qui l'ignoreraient ? Ou, pire, plein de M. Butor qui le verraient bel et bien ?

Zigzag avait dit qu'il serait en sécurité ici, mais Zigzag n'était qu'un chat. Ils en savent quoi, les chats ?

D'un autre côté, ce chat l'avait vu et l'avait empêché de s'estomper ; il lui avait parlé d'Amanda, il lui avait dit qu'elle était encore en vie. Peut-être devait-il lui faire confiance.

Il se leva. Il pouvait y arriver. Qu'aurait fait Amanda à sa place ? Elle aurait dit « qui va à la chasse… », d'abord, puis elle aurait passé la porte pour affronter ce qui se trouvait de l'autre côté. Rudger s'inspira d'elle, de tout ce qu'ils avaient partagé ensemble, et poussa la porte.

Qui se ferma en faisant *clic*.

Il poussa encore, et elle ne bougea pas.

Alors il tourna la poignée et tira, et la porte s'ouvrit pour révéler la dernière chose à laquelle Rudger s'attendait.

SIX

Rudger se trouvait dans une bibliothèque.

Amanda lui avait expliqué ce que c'était, mais il n'en avait jamais vu. Elle avait dit : « Il n'y a pas mieux pour un jour de pluie. Chaque livre est une aventure », et Amanda adorait les aventures.

La musique était plus forte, maintenant. Elle crachotait et hoquetait comme celle d'un vieux gramophone, mais elle restait rythmée, guillerette, entraînante.

Rudger n'en voyait pas la source à cause des rayonnages devant lui. Cette bibliothèque était un vrai labyrinthe, un labyrinthe de livres.

À une dizaine de mètres sur sa droite, une femme poussait en bâillant un petit chariot lesté de hautes piles de livres.

Elle s'arrêta, prit deux volumes reliés sur le chariot, les regarda, regarda l'étagère, puis les glissa soigneusement à la bonne place.

— Bonjour ! dit Rudger.

Elle l'ignora, recula un peu le chariot et classa d'autres livres. Elle prenait tout son temps, même s'il était tard et sans doute déjà l'heure de rentrer, parce qu'elle mettait un point d'honneur à les ranger exactement là où il fallait.

— Pourquoi tu lui parles ? demanda une petite voix au-dessus de lui. Elle est réelle. Elle ne peut pas te voir.

Rudger leva les yeux.

En haut des rayonnages flottait une tête de dinosaure aux dents énormes, un genre de tyrannosaure. Sans être expert en la matière, Rudger savait en tout cas qu'il ne s'agissait pas d'un herbivore : la bête avait d'immenses dents jaunes, longues et pointues. Elle souffla par ses grosses narines sombres, passa une épaisse langue brillante sur sa bouche sans lèvres et cligna de ses yeux minuscules avant de poursuivre la conversation.

—Tu viens d'arriver ? demanda-t-elle d'une voix douce et haut perchée.

On aurait dit celle d'un enfant, pas celle d'un monstre, même si ses dents produisaient des claquements effrayants à chaque mot.

Rudger ne savait quoi répondre.

Ce n'est pas qu'il avait peur. Pas vraiment. C'est juste qu'il était surpris.

Trois choses rendaient cette rencontre moins terrifiante qu'elle n'aurait pu l'être. Premièrement, le dinosaure devait baisser la tête pour ne pas toucher le plafond de la bibliothèque, ce qui lui donnait un air rigolo. Deuxièmement, ses tout petits bras étaient posés sur le haut des rayonnages, et les tout petits bras d'un tyrannosaure ont toujours l'air rigolo. Troisièmement, il était rose.

— Euh, oui, je suis nouveau ici, répondit Rudger.

— Je le savais, je le savais ! jubila le dinosaure, qui essaya en vain de claquer des pattes. Viens par là, que je te présente.

C'était comme entrer dans un dessin animé après avoir passé la journée dans un vieux film en noir et blanc sous-titré, songea Rudger. Le dinosaure à la couleur étonnante n'était pas la seule curiosité en ces lieux.

Au beau milieu de la bibliothèque, à l'endroit où les rayonnages cédaient la place à des tables et des chaises, étaient réunis des « gens ». Rudger pensa « gens » faute d'un terme plus approprié, et il ne pensa pas un instant à l'adjectif « réels ».

Il se trouvait dans une pièce pleine de gens imaginaires. Certains avaient l'apparence d'enfants ordinaires, comme lui, et d'autres pas du tout. Il y avait un nounours grand comme un adulte, un clown, un homme qui ressemblait à un instituteur du passé (filiforme, pâle, sévère). Il y avait une grande tache de couleur mouvante du bleu d'un ciel d'été, et aussi un gnome caché derrière un autre gnome qui essayait de se cacher derrière le premier, et encore une poupée de chiffons avachie sur une chaise (en réalité, c'était juste une vraie poupée de chiffons oubliée là par un enfant plus tôt dans la journée).

Même le gramophone d'où provenait la musique était une personne imaginaire, avec de petits bras, de petites jambes et

deux yeux qui tournaient sur le disque et clignaient chaque fois qu'ils passaient sous l'aiguille. Quand il vit Rudger, la musique s'arrêta dans un crachouillis. Le gramophone toussa poliment, leva un bras et cligna des yeux plusieurs fois.

Rudger en resta médusé. Il n'avait rencontré qu'une seule personne imaginaire, avant, et elle avait essayé de le faire basculer par la fenêtre pour qu'il se fasse dévorer par M. Butor. Maintenant, face à une foule de gens imaginaires, il se sentait désemparé.

— Tu as l'air perdu, lui dit une adolescente vêtue d'une salopette.

Rudger n'avait jamais vu de salopette, mais il se comporta très bien et réussit à ne pas glousser.

— Il vient d'arriver, expliqua le dinosaure en se retournant difficilement sous le plafond bas. Il est entré par le corridor.

— Viens là, dit la jeune fille en l'entraînant à l'écart. Pose-toi. Tu dois te sentir perdu. C'est ta première fois ici ?

— Oui, reconnut Rudger en s'asseyant sur un canapé près d'un rayonnage d'albums jeunesse. Où suis-je ? Qui sont tous ces... euh... ces gens ?

— On appelle ça l'Agence, annonça-t-elle en prenant place près de lui. Et eux ? continua-t-elle avec un large geste des deux mains. Eh bien, on pourrait dire qu'ils sont ta famille. Bienvenue chez toi !

La jeune fille s'appelait Emily.

— Tu veux une tasse de thé, ou un chocolat chaud, ou autre chose ? demanda-t-elle.

L'ours en peluche arriva en poussant un chariot grinçant chargé de boissons et de gâteaux.

— Euh, un chocolat chaud, s'il te plaît.

—Tiens, dit le nounours en lui tendant une tasse fumante. Un gâteau ?

Rudger découvrit avec stupeur à quel point il avait faim. Il ne mangeait pas beaucoup d'habitude. Amanda finissait gentiment ce qu'il laissait dans son assiette et l'encourageait d'ordinaire à tout laisser.

— Je peux avoir celui-ci ? demanda-t-il en désignant un petit cupcake.

Le nounours le lui tendit sur une serviette. Rudger enleva quelques poils sur le glaçage et en croqua un bout.

— Bon, maintenant que tu as de quoi manger, je dois te faire le discours, annonça Emily.

— Le discours ? répéta Rudger en crachant quelques miettes.

Le nounours s'éloigna avec son chariot grinçant tandis qu'Emily balayait quelques miettes tombées sur sa salopette.

— Oui, le discours. On y a tous droit la première fois qu'on passe cette porte. On a peur, on est effrayé, on est tombé dans l'oubli, on a commencé à s'estomper, et là, juste avant d'être emporté par le vent, on découvre une porte magique et on se retrouve nez à nez avec Flocon.

— Flocon ?

Emily désigna du doigt le dinosaure rose, qui jouait aux cartes avec d'autres amis imaginaires. Il avait du mal à voir quelles cartes il tenait dans sa patte, et le bout de sa queue tapait contre les étagères tant cela l'énervait.

— Évidemment, on ne se retrouve pas toujours nez à nez avec Flocon. Ça dépend de qui est devant la porte à ce moment-là. L'essentiel est de recevoir un accueil chaleureux.

— C'est quoi, cet endroit ?

— C'est un endroit où les gens comme nous peuvent s'installer entre deux contrats, Rudge.

Agaçant, cette façon d'abréger son prénom.

— Deux contrats ?

— Je t'explique, dit Emily après une profonde inspiration. Certains enfants ont beaucoup d'imagination, et ils nous inventent. Ils nous créent, on est les meilleurs copains du monde, tout baigne, et puis ils grandissent, ils se lassent de nous, on tombe dans l'oubli et c'est le début de l'estompage. Normalement, c'est la fin : on a rempli son contrat, alors on se transforme en fumée et on est emporté par le vent. Mais si nous on te trouve avant que ça arrive, ou si un de nos collègues te repère, on peut te faire entrer ici et tu es en sécurité.

— Pourquoi ici ?

Emily leva les mains et désigna les rayonnages.

— Toi et moi, Rudge, on a été imaginés. Regarde autour de toi. Cet endroit est comme une oasis faite d'imagination. Évidemment, ce n'est pas tout frais, mais ça permet de tenir quelques semaines.

— Et après, qu'est-ce qui se passe ?

— Il faut aller bosser.

— Bosser ?

Emily se leva et Rudger l'imita. Il mit le papier du cupcake dans sa poche et prit entre ses mains sa tasse de chocolat chaud.

— Suis-moi, ordonna-t-elle.

Ils empruntèrent le labyrinthe des rayonnages jusqu'à un espace dégagé à l'avant de la bibliothèque. Là se trouvait le bureau où venaient les gens réels pour emprunter leurs livres pendant la journée. Devant le bureau dormait un chien, un chien imaginaire endormi (ou un chien endormi imaginaire, Rudger ne savait pas trop dans quel ordre placer les adjectifs). Deux portes vitrées donnaient sur la grand-rue.

Dehors, il faisait noir. La lumière orangée d'un réverbère éclairait le trottoir, où passaient quelques personnes protégées par des parapluies, car il s'était remis à pleuvoir.

La femme que Rudger avait vue ranger les livres déverrouilla les portes et sortit, puis referma derrière elle.

— Voilà la dernière des réelles qui s'en va, dit Emily. L'endroit est à nous jusqu'à demain matin.

Sur le mur était accroché un panneau d'affichage surchargé de ces papiers que l'on trouve sur tous les panneaux d'affichage de toutes les bibliothèques : des annonces pour des groupes de lecture, des baby-sitters, des matinées café ou des cours de dessin. Mais sous les yeux de Rudger, quelque chose se produisit.

— C'est ça, approuva Emily. Il faut juste te détendre et laisser tes yeux voir ce qu'ils sont censés voir.

Derrière les petites annonces (ou peut-être devant), des photographies commencèrent à apparaître. Comme si elles avaient été cachées par une brume que chassait à présent une brise insoupçonnée. Bientôt, le panneau en fut recouvert.

—Voilà les enfants qui ont besoin d'amis mais qui n'ont pas assez d'imagination pour en inventer, expliqua Emily.

C'est rare qu'un enfant arrive à faire ça, il faut vraiment une belle étincelle.

— Comme Amanda ?

Emily hocha la tête.

— C'est dur, quand ils commencent à oublier, Rudge, mais...

— Oh, elle ne m'a pas oublié, l'interrompit-il. C'est juste qu'elle a eu un accident. Je vais la retrouver et...

— Du calme, Rudge, l'interrompit Emily. Écoute, je sais que c'est dur, mais il faut que je te parle cash. Tu ne vas pas la retrouver. Ça ne marche pas comme ça. Ce n'est pas moi qui fais les règles, mais il y a des règles. C'est comme ça. On tombe dans l'oubli, et après on choisit un nouvel enfant. Il n'y a pas de retour possible.

Rudger ne la croyait pas, mais il n'en dit rien. Il sentait bien qu'il ne la convaincrait pas — pas ce soir, en tout cas. (En plus, une petite voix dans sa tête lui soufflait : « Peut-être bien qu'elle a raison. »)

Il y eut un gémissement derrière eux. Rudger se retourna et vit que le vieux chien de berger faisait un rêve. Il renifla un peu et remua les pattes comme s'il coursait un écureuil derrière ses paupières.

— Ne fais pas attention à lui, dit Emily d'une voix plus douce. Il attend son dernier

contrat. Il prétend qu'il est devenu trop vieux. Il cherche une mission vraiment spéciale. Et il passe ses journées là pour être sûr de ne pas la rater quand ça se présentera.

— Quand quoi se présentera ?

— Le gamin qu'il cherche, je ne sais pas. Pour être honnête, il en rate beaucoup parce qu'il monte la garde en ronflant, si tu vois ce que je veux dire.

Rudger regarda le vieux chien, ricana sans raison, puis se retourna vers le panneau d'affichage.

Emily poursuivit le discours.

— Donc, tu arrives ici le matin et tu choisis un gamin dont la tête te plaît, et puis tu vas dans le corridor et c'est tout.

— C'est tout ?

— Oui, c'est tout.

— Comment ça marche ?

— Je n'en sais rien, mais ça marche, répondit Emily avec un haussement d'épaules avant de se racler la gorge pour prendre un ton officiel. Bien, Rudge, tu as eu le discours, j'ai fait de mon mieux, et maintenant tu bosses chez les imaginaires. Bienvenue à bord. Je te souhaite plein de bons contrats pour les années à venir ! dit-elle en levant un verre imaginaire comme pour un toast. Viens, je vais te présenter les autres.

Plus tard, ce même soir, Rudger était assis près d'un feu de camp au beau milieu de la bibliothèque.

Au début, il avait eu un peu peur, le feu et les livres ne faisant guère bon ménage, mais il avait bientôt vu que le feu était du genre de ceux qu'Amanda inventait. Un feu imaginaire. La bibliothèque ne risquait pas l'incendie, aucun livre ne brûlait, et pourtant les imaginaires assis autour s'y réchauffaient et contemplaient les flammes d'un œil bienveillant.

— C'est parfait pour le soir, avait dit Emily. C'est LE truc à faire : se raconter des histoires de fantômes en grillant des guimauves.

Les guimauves étaient elles aussi imaginaires, mais succulentes, collantes, dégoulinantes. La bibliothèque était un refuge accueillant, pour leur inventer tous ces petits conforts.

— Ça, c'est une chose qu'on ne peut pas faire nous, Rudge, avait expliqué Emily. C'est à ça que servent les réels, à inventer des choses. Je suis sûre que ton Amanda faisait ça, non ?

— Oui, tous les jours.

— Nous, notre boulot, c'est de partager, de profiter. De guider, quand c'est possible, de suggérer, mais toujours à partir de l'imagination de quelqu'un d'autre. Ne l'oublie pas.

Il but son chocolat chaud sans rien dire. Il pensait à Amanda. Les mises en garde d'Emily lui étaient restées en tête. Il croyait dur comme fer qu'il arriverait à lui prouver le contraire. Il voulait bien admettre que jamais un imaginaire n'avait réussi à retrouver son ami réel, son ami de départ, mais cela voulait juste dire que Rudger serait le premier.

Il écoutait les conversations, qui concernaient des gens qu'il ne connaissait pas, qui avaient fait des choses qu'il ne comprenait pas dans des endroits dont il n'avait jamais entendu parler avec des enfants qu'il n'avait jamais rencontrés. Au bout d'un moment, il se décida à participer.

Il toussota.

— Excusez-moi, commença-t-il.

Le silence se fit dans la pièce, hormis le martèlement rythmé d'un Ami qui était le portrait craché d'une balle de ping-pong. (Rudger était bien content qu'Amanda l'ait imaginé sous la forme d'un petit garçon ordinaire. Cela lui simplifiait la vie.)

— Je suis nouveau ici, comme vous le savez. Emily m'a beaucoup aidé et m'a expliqué les règles. Mais je ne crois pas... je ne crois pas que je devrais être ici. Enfin, pas encore. Vous comprenez, il y a eu un accident.

Il se mit à raconter son histoire en commençant par la veille au soir, quand ils jouaient à cache-cache avec la baby-sitter.

— Tu as bien dit « M. Butor » ? demanda Flocon depuis le plafond.

— Oui. C'est comme ça qu'il s'est présenté.

— « M. Butor » ? répéta le dinosaure d'un ton un peu moqueur.

— Pourquoi ? Qu'est-ce qu'il y a ?

Emily lui posa la main sur l'épaule et gloussa.

— Pardon, Rudge. On a tous entendu parler de M. Butor. Ce n'est pas la peine d'essayer de nous faire croire que tu l'as rencontré. Tu ne nous auras pas. Désolée de gâcher ton histoire.

— Mais on l'a vraiment rencontré. Il a essayé de...

Le nounours, une fille qui s'appelait Constrictor, éclata de rire.

— Ah oui ? Et après tu vas nous dire que tu as aussi rencontré Jacadiadi ?

— Qui c'est, Jacadiadi ?

— Il fait encore plus peur que M. Butor, expliqua Emily. Il prend la place de ton ami réel pendant la nuit, il entre dans sa peau, il te regarde à travers ses yeux et il te dit de faire des trucs. Des trucs bizarres, des trucs dangereux. Et parce qu'il te le dit avec la voix de ton ami, eh bien... tu obéis.

— Oh, tais-toi, Emily, protesta Flocon. Jacadiadi, il me fout les chocottes. Je ne vais pas arriver à dormir cette nuit, maintenant que tu m'y as fait penser. Brrr...

Le dinosaure claqua des dents et frissonna jusqu'au bout de sa queue.

— Mais ce n'était pas ce Jacadiadi, là, reprit Rudger. C'était M. Butor. Parlez-moi de lui. Qu'est-ce que vous savez sur lui ?

— Oh, ce que tout le monde sait, Rudge. Il est né il y a des centaines d'années, expliqua Emily comme si elle récitait une notice d'encyclopédie. Mais il a fait un pacte avec le diable, etc., etc., etc.

— Moi j'ai entendu dire que c'était avec des lutins, dit une voix.

— Mais non, avec des aliens, renchérit une autre.

— Je croyais que c'était avec un directeur de banque, intervint Constrictor.

— Moi, j'ai même entendu que c'était le diable, mais peu importe, enchaîna Emily. Tout ce qui compte, c'est qu'il ne meurt jamais, alors qu'il a des centaines d'années.

— Et ce qui le maintient en vie, c'est... Allez, dis-le, l'enjoignit la balle de ping-pong entre deux rebonds.

— Il mange les imaginaires, Rudge. Il mange les gens comme nous. Et chaque fois qu'il en mange un, il vit un an de plus, à ce qu'on raconte. Mais rien dans les rumeurs ne dit qu'il a une amie imaginaire.

— Mais si ! protesta Flocon. J'ai entendu dire qu'il mange les Amis pour se donner assez d'imagination pour continuer à croire à son Amie à lui. Comme c'est un adulte depuis des années et des années, il aurait dû l'oublier. Mais il ne veut pas, alors la seule manière de continuer à croire, c'est de manger... de l'imagination.

— Je n'avais jamais entendu dire ça, déclara Emily.

— Et comment il trouve les Amis ? demanda Rudger.

— Oh, il les flaire, répondit Constrictor. Il flaire l'estompage, comme les chats. Dès qu'un vague relent d'estompage lui chatouille une narine, il suit la piste comme un chien de chasse. Et une fois qu'il t'a trouvé, il te gobe vite fait avant que tu te sois complètement estompé. Tu veux un autre gâteau, Rudger ?

Rudger fit non de la tête. M. Butor flairait l'estompage ? En tout cas, ce n'était pas comme ça qu'il avait repéré la maison d'Amanda. Ce jour-là, M. Butor était parti à la chasse aux Amis. Il les avait traqués en faisant du porte-à-porte. Et à la seconde où Amanda avait vu la fille sur le seuil, M. Butor avait compris qu'elle arrivait à voir des gens imaginaires, ce qui signifiait...

— Est-ce qu'il peut être tué ? demanda Rudger.

— Je ne connais pas d'histoire sur lui où il se fait tuer, répondit Emily avant de regarder les autres. Et vous ?

Tout le monde secoua la tête.

— Zigzag dit que si notre enfant meurt, on disparaît d'un seul coup. C'est vrai ?

— Oui, confirma Emily en mâchonnant une guimauve. Et la même chose dans l'autre sens.

— Qu'est-ce que tu veux dire ?

— Si un imaginaire meurt, son ami réel meurt aussi.

— Je n'ai jamais entendu raconter ça, intervint la balle de ping-pong en rebondissant.

— Si, c'est vrai, dit Emily. J'ai entendu parler d'un gamin, un jour. Lui et son amie imaginaire, Picpic, ils sont tombés d'une falaise. Ils faisaient les foufous, il y a eu un accident. Bref, ils tombent, ils tombent, et Picpic atteint le sol la première. Elle est pulvérisée… elle disparaît comme ça, pouf ! Et alors, son ami réel est mort aussi.

Il y eut un silence avant que Flocon prenne la parole.

— Mais ils étaient tombés d'une falaise, alors évidemment, l'ami réel est mort aussi.

— Mais non, tu ne m'as pas bien écoutée, dit Emily en baissant tellement la voix que tous les autres durent se pencher en avant pour l'entendre. L'imaginaire est mort, et le gamin est mort après.

— Mais ils ont tous les deux fait une chute vertigineuse, protesta Flocon.

— D'accord, mais le gamin réel, il est mort avant de toucher le sol.

Le silence retomba.

— Et comment tu le sais ? demanda le dinosaure.

— C'est ce qu'on m'a raconté, voilà tout, dit Emily en haussant les épaules.

Il se faisait tard et le feu se mourait.

Certains des imaginaires partaient déjà se coucher.

Emily entraîna Rudger jusqu'à des hamacs accrochés entre les rayonnages.

— Je vais te faire la courte échelle, proposa-t-elle.

Elle mit ses deux mains sous les pieds de Rudger pour l'aider à grimper.

Pour lui qui avait passé toute sa vie à dormir au fond d'un placard, c'était une grande nouveauté. Il y avait des couvertures et un oreiller, et le hamac oscillait comme si la bibliothèque voguait en pleine mer. Le mouvement le rassura et l'apaisa. Après la longue et rude journée qu'il avait eue, c'était comme si la bibliothèque lui chantait une berceuse.

Il ne s'attendait pas à trouver le sommeil. Tant de choses tourbillonnaient encore dans sa tête. Il se demandait où était Amanda. À la maison ou à l'hôpital ? Pensait-elle à lui ? Et où était M. Butor ? Et lui, pensait-il aussi à Rudger ?

Il s'endormit sans même s'en rendre compte, et tout d'un coup c'était le matin.

SEPT

Quand il se réveilla, les lumières étaient allumées et des gens réels feuilletaient des livres de part et d'autre de son hamac. Rudger se leva et retrouva son chemin jusqu'à l'emplacement du feu de camp.

Flocon n'était pas là, mais il y avait d'autres imaginaires.

Emily lui sourit quand elle le vit arriver.

— Tu veux ton petit-déjeuner ? demanda-t-elle.

Constrictor fit rouler son chariot grinçant vers lui et lui offrit des gâteaux et une tasse de chocolat chaud.

Il y avait des gens réels partout. Un lecteur assis à une table près de la balle de ping-pong rebondissante lisait un journal. Les gens réels ne voyaient pas les imaginaires, et les imaginaires ignoraient les gens réels, comme si leurs deux mondes étaient superposés. Ils partageaient le même espace, mais ne se touchaient pas. Du moins, c'est ce que pensait Rudger jusqu'à ce qu'il pose sa tasse sur un livre, qui se trouvait plus près du bord de la table qu'il ne l'avait cru. La tasse le déséquilibra et l'envoya valser.

La tasse et son contenu disparurent avant de toucher terre, mais le livre s'écrasa avec un bruit sourd.

L'homme qui lisait son journal leva le nez.

— On essaie d'éviter, Rudge, mon pote, dit Emily en lui donnant une bourrade amicale. Ça peut leur faire peur, et nous, on est les gentils, n'oublie pas.

Rudger se pencha pour ramasser le livre.

— Laisse, lui conseilla-t-elle.

— Mais…

— Réfléchis deux secondes, Rudge. Le type a été surpris par un livre qui est tombé d'une table. OK, ça arrive. Les objets tombent, c'est la gravité. Il va reprendre sa lecture dans un instant et n'y pensera plus. Mais s'il voit un livre qui se soulève du sol et remonte sur la table, là, ce sera une autre histoire. Il pourrait croire que la bibliothèque est hantée. Il va commencer à faire des cauchemars, et ce sera de ta faute. Tu ne voudrais pas ça, hein ?

Rudger secoua la tête.

— Bon. J'ai décidé que toi et moi, ce matin, on va aller se lier d'amitié avec un gamin. On va le faire ensemble. Pas la peine de traînasser.

— Mais je veux retrouver Amanda.

— Et comment tu comptes t'y prendre ?

— Je vais trouver où l'a emmenée l'ambulance. Elle doit être à l'hôpital. Je vais commencer par là.

— On dirait que tu ne m'as pas écoutée, ronchonna Emily en secouant la tête. Tu ne peux pas sortir tout seul la chercher. Si tu quittes la bibliothèque, tu vas t'estomper.

Rudger ouvrit la bouche et leva un doigt comme s'il avait un argument à soumettre.

— Ce que tu dois faire, c'est venir avec moi, enchaîna-t-elle alors qu'il avait à peine eu le temps de dire « mais ». On va te trouver un nouvel ami, et quand il croira en toi, si tu y tiens vraiment, tu pourras toujours essayer de le convaincre de t'emmener à l'hôpital. Mais tu ne peux pas y arriver tout seul.

Malgré son envie furieuse de courir retrouver Amanda, retrouver son ancienne vie, il comprenait bien qu'il devait suivre les conseils d'Emily. Elle savait de quoi elle parlait, elle. Tout ça n'en était pas moins terriblement frustrant.

— Allez viens ! dit-elle en l'entraînant vers le panneau d'affichage.

Emily décrocha la photo d'un garçon potentiel.

— C'est lui, dit-elle. J'ai un bon feeling.

Ce matin-là, John Jenkins ouvrit la porte de son placard pour y chercher son manteau.

Il en avait besoin, parce qu'il s'était remis à pleuvoir.

— Ah, te voilà, toi ! dit-il en l'attrapant avant de l'enfiler.

Alors que la porte se refermait avec un petit clic, il ressentit une étrange impression. Comme si une bête minuscule lui avait grimpé sur la nuque, mais à l'intérieur, pour dire à son cerveau : « Quelque chose t'observe. »

Il sortit de sa chambre en courant et descendit l'escalier. Ses parents l'attendaient dans l'entrée.

— Allez, traînard, lui dit son père. On va être en retard au cinéma.

John se dépêcha, mais au moment où il arrivait à la marche d'où il pouvait voir sous la commode du palier jusque dans sa chambre, il s'arrêta un quart de seconde.

La porte de son placard s'ouvrait.

Pourtant, il était certain de l'avoir bien fermée. À moins que…

Il continua de descendre en s'obligeant à ne pas regarder en haut.

— Je vais juste vérifier que la porte de derrière est verrouillée, dit sa mère en les laissant dans l'entrée.

John s'assit sur la marche du bas pour faire ses lacets. Il se souvenait encore du jour, au début des vacances, où il y était arrivé tout seul pour la première fois. Trop bizarre. Avant, il n'y arrivait pas, mais alors pas du tout. Les lacets avaient l'air bien faits, et, dès l'instant où il se levait, ils se défaisaient et ses chaussures lui sortaient du pied.

Et puis un beau jour, sans que personne l'aide, alors qu'il était assis sur son lit tout seul, abracadabra, il y était arrivé. Comme s'il avait toujours su comment faire des nœuds de lacet.

Quand sa mère avait exprimé sa surprise, il avait exprimé sa surprise en retour.

— Évidemment que je sais faire mes lacets, je ne suis pas un bébé !

Et c'était vrai, il avait déjà six ans.

Il fit une boucle autour de son doigt et s'apprêta à faire passer l'autre bout entre les…

John Jenkins

Il s'interrompit.

Il y avait eu un craquement dans l'escalier derrière lui. Au-dessus de lui.

Ses parents et lui étaient au rez-de-chaussée et il n'avait ni frère ni sœur. Personne à l'étage, or John savait que la deuxième marche en partant du haut ne craquait que quand on marchait dessus. Il avait marché dessus un nombre incalculable de fois, alors il connaissait ce craquement comme le dos de sa main.

Il regarda le dos de sa main. Elle tremblait et le nœud se défit.

Il ne regarda pas derrière lui. Il ne regarda pas en haut.

— Tu n'as pas encore fait tes lacets, John ? s'étonna sa mère en revenant.

Son père était en train de lire une lettre et n'avait rien remarqué.

— Non, maman. Tu peux me les faire ?

— Bien sûr, mon poussin, dit-elle en s'agenouillant devant lui.

— Maman ?

— Oui ?

— Est-ce qu'il y a... ?

— Quoi ?

— Tu peux regarder en haut de l'escalier ?

— Oui, pourquoi ?

Elle passa à l'autre chaussure. Elle était vraiment très douée pour ça, rapide.

— Est-ce qu'il y a quelqu'un là-haut ?

— Qu'est-ce que tu racontes ? dit-elle sans regarder en haut.

— J'ai… j'ai entendu un bruit. La marche qui craque a craqué.

Elle jeta un œil au premier étage.

— Mais non, il n'y a rien.

— Tu as entendu, papa ? Tu l'as forcément entendu, non ?

— Hein ? Quoi ? Non, répondit simplement son père en reposant le courrier pour aller ouvrir la porte. Allez, en route, joyeuse troupe !

John Jenkins se leva, ses chaussures bien lacées, son manteau bien boutonné, mais de l'eau glacée imaginaire lui dégoulinait le long de la colonne vertébrale. Quelque chose l'observait. Quelque chose se trouvait derrière lui. Il en était certain, sauf qu'il n'osait pas se retourner.

Il sortit le plus vite possible, dépassa ses parents et fonça jusqu'à la voiture. Quand ils s'éloignèrent, il osa enfin jeter un coup d'œil à la maison.

Elle avait l'air comme d'habitude, sauf que… sauf qu'il eut l'impression, sans pouvoir en être sûr, sans pouvoir en jurer, mais quand même il eut bien l'impression, à travers la pluie, de voir un visage à la fenêtre de l'entrée.

À la fenêtre de l'entrée de leur maison vide.

— Eh ben, ça s'est super bien passé ! ironisa Emily en se vautrant dans le canapé d'un air boudeur.

— Tu es sûre qu'on a le droit de s'asseoir là ? demanda Rudger, debout près de la porte du salon. On n'est pas chez nous.

— Oh, ne fais pas ton bébé, Rudge. On est chez nous, maintenant. On est en mission. On habite ici jusqu'à ce qu'on n'ait plus besoin de nous.

— Mais il ne nous a même pas vus.

— Des fois, ça prend un peu de temps, c'est tout.

Elle a de l'expérience, songea Rudger. *Elle doit savoir ce qu'elle fait.*

Emily croisa les bras puis les décroisa, se gratta la joue, puis les recroisa. On aurait dit une chorégraphie un peu complexe, mais pas très réussie.

— Il nous faut un plan B, déclara-t-elle au bout d'un moment. On doit attirer son attention. Qu'il nous voie au moins une fois, et après on sera bons.

— Et comment on s'y prend ? demanda Rudger en s'asseyant près d'elle sur une fesse. Quand on était dans le placard, il nous a regardés sans nous voir.

— Moui. S'il ne nous voit pas alors qu'il nous regarde bien en face, alors il faut qu'il nous regarde de côté.

— De côté ?

— Eh oui, Rudge, mon pote, dit Emily en se frottant les mains. C'est évident. On va devoir employer la tactique du miroir.

Le film était tellement drôle que, lorsque John Jenkins rentra chez lui, il avait complètement oublié sa curieuse impression du matin.

— Je vais mettre de l'eau à chauffer, dit son père après avoir ôté ses chaussures.

— Je passe aux toilettes, dit sa mère en montant l'escalier deux à deux.

John resta seul dans l'entrée.

Il posa un pied sur la première marche pour dénouer ses lacets, jeta un coup d'œil dans l'escalier et soudain, avec une boule à l'estomac, il se rappela le grincement. Et toute sa joie s'évapora.

Il regardait dans l'escalier, incapable de s'en empêcher. Il avait l'impression que s'il détournait les yeux un seul instant, quelque chose allait arriver. Une porte allait claquer, ou bien l'escalier allait craquer. S'il se retournait, quelque chose allait arriver. Il était pétrifié, comme un lapin sur une route de campagne qui voit se rapprocher les phares du camion en sachant qu'il est incapable de se mettre à courir.

Il changea de pied et posa la chaussure encore lacée sur la marche du bas.

Il se baissa sans regarder et tira sur le lacet. Sa maman faisait bien les nœuds : ils se défaisaient juste en tirant dessus.

Et là, il vit quelque chose.

Et il sauta.

Il sauta littéralement en l'air.

Sa mère se tenait en haut de l'escalier.

— Oh, pardon, mon poussin ! s'excusa-t-elle. Je t'ai fait peur ?

— Maman ! grogna-t-il.

Ils dînaient dans la salle à manger. C'était leur dernier jour en famille, et les parents de John aimaient faire les choses bien. La rentrée était dans une semaine, mais c'était le dernier soir qu'ils pouvaient passer ensemble.

Ce qu'ils appelaient la salle à manger n'était qu'un bout du salon avec une table. Si John avait été vraiment sage, ou s'il avait insisté, ils auraient allumé la télévision et il aurait pu la regarder pendant le repas, mais aujourd'hui il fallait qu'ils parlent.

Son papa disait qu'il faudrait changer les pneus de son vélo avant l'automne et sa maman se servait de la salade quand John leva les yeux.

Derrière lui se trouvait un bahut, sur lequel ses parents posaient les horribles assiettes que sa grand-mère leur offrait chaque Noël. Sur le mur d'en face était accroché un grand miroir que son père avait acheté à un vide-greniers pendant l'été pour « agrandir la pièce ». John ne savait pas trop si c'était le cas, parce qu'il avait toujours trouvé la pièce assez grande, mais il aimait y jeter un coup d'œil quand la conversation devenait ennuyeuse et que la télé n'était pas allumée. Il y regardait le reflet des dessins de chatons sur les assiettes derrière lui.

Il y en avait un qui reniflait des fleurs, un autre assis sur un coussin et un troisième avec une moustache de lait. Même à six ans, John savait que sa mère avait raison de les trouver affreuses. S'il avait pu choisir, il aurait acheté des assiettes avec des robots. Mieux, avec des robots qui bousillent des trucs. Mieux encore, avec des robots qui se battent avec d'autres robots et qui les bousillent, eux. Peut-être que s'il demandait très gentiment à sa grand-mère, elle lui en offrirait une comme ça pour Noël.

Soudain, il arrêta de penser à des robots parce qu'il avait vu autre chose dans le miroir.

Il observa la table devant lui, puis son assiette remplie de nuggets de poisson et de petits pois. Il regarda à droite, où était assis son père. Il regarda en face, où était assise sa mère. Enfin, il regarda à gauche, où se trouvait une chaise vide.

— Eh bien, elle n'a pas fait long feu, cette salade ! commenta sa mère en vidant ce qui restait dans son assiette. Tu en as pris, John ?

Sans lui répondre, John regarda de nouveau dans le miroir.

Il se regarda dans les yeux, puis il regarda son père, puis la nuque de sa mère, puis la quatrième chaise, la chaise vide.

Une jeune fille blonde y était assise, une feuille de laitue piquée au bout de sa fourchette. Il la vit l'enfourner et entendit presque le *scrontch scrontch* quand elle la mâcha.

Elle croisa son regard dans le miroir et lui fit un clin d'œil.

Quand les voisins croisèrent la maman de John, le lendemain matin, ils l'interrogèrent sur les hurlements. Elle se trouvait dans le jardin de devant avec l'agent immobilier, qui enfonçait un panneau *À vendre* dans la pelouse. Elle leur expliqua qu'ils avaient appris une mauvaise nouvelle et qu'ils partaient habiter chez sa mère pendant un moment.

— Nom d'une pipe en bois ! jura Emily en arpentant le salon des Jenkins sous le regard de Rudger.

— Ça se passe comme ça, d'habitude ?

— Mais non ! aboya-t-elle. Quand on a un gamin normal, c'est du gâteau. Ce môme-là, c'est une vraie catastrophe. Enfin, qu'est-ce qui lui a pris de faire tout ce barouf ? Je n'ai jamais vu une scène pareille. C'était ridicule.

— Tu lui as fait peur, Emily. Tu lui as fichu la frousse.

— OK, mais je ne l'ai pas fait exprès. Regarde-moi. Tu trouves que j'ai l'air d'un fantôme ? Tu trouves que je fais peur ? dit-elle en souriant et en se passant la main dans les cheveux. Je ne suis pas une Amie effrayante, si ? Ce garçon est de toute évidence défectueux. Ils devraient le ramener au magasin et le faire réparer.

— Bon, et qu'est-ce qu'on fait maintenant ?

Emily se laissa tomber sur le canapé à côté de lui et leva la main devant son visage. Y avait-il un vague début de transparence ? Combien de temps pouvaient-ils rester dans le monde réel sans qu'une personne réelle croie en eux ? Rudger l'ignorait. Ses mains picotaient, mais il les gardait bien enfoncées dans ses poches.

— Il n'y a qu'une chose à faire, dit-elle d'un ton las. On rentre.

— Ça peut être un peu coton de trouver la porte, expliqua Emily. On ne prend pas n'importe quelle ruelle au hasard, Rudge. Il faut la regarder sous le bon angle, il faut qu'elle veuille être vue sous le bon angle et il faut se persuader que c'est le bon angle.

— On ne pourrait pas simplement passer par la porte d'entrée ?

— La porte de la bibliothèque ?

— Ben oui.

— Oui, on pourrait, si on était en centre-ville. Mais je ne sais pas où on est. Toutes ces rues se ressemblent. Bon, toi, tu ouvres l'œil pour repérer un bus qui va dans le centre, et moi je cherche une ruelle.

Ils passèrent vingt minutes à sillonner le quartier des Jenkins (zéro bus) avant de trouver une ruelle qu'Emily estima convenir : un passage puant entre deux jardins bordé de palissades, où traînaient des poubelles et une poussette cassée.

— Celle-là ? demanda-t-il.

— Oui, regarde les ombres, répondit Emily en désignant du doigt un réverbère, puis la ruelle.

L'ombre du réverbère tombait vers la droite, en dehors de la ruelle, mais l'ombre de la palissade tombait de l'autre côté. Les ombres dans la ruelle allaient dans le mauvais sens.

— Là-bas se trouve notre porte, si on le veut vraiment. Mais on a intérêt à se dépêcher.

Elle leva la main. Son estompage ayant commencé, des volutes de fumée grise montèrent du bout de ses doigts.

Rudger ne regarda pas ses mains à lui, mais il connaissait cette sensation — comme si des aiguilles le picotaient.

— Excusez-moi, jeune fille, dit alors une voix derrière eux. Quel vilain temps, hein ? Je suis perdu et j'aurais besoin qu'on m'aide à retrouver mon chemin.

Rudger se retourna, et là, devant lui, sur le trottoir, moustache au vent, se dressait qui vous savez.

— Emily ! dit-il en la tirant par le bras. Ne le…

Mais Emily ne l'écoutait pas tant elle était stupéfaite. Elle n'avait pas l'habitude qu'on la voie. Elle bossait depuis assez longtemps dans le secteur des imaginaires pour savoir qu'il se passait là quelque chose d'étrange. Mais elle ne savait pas trop quoi.

— Euh, je peux vous aider ? proposa-t-elle avec un calme apparent.

— Oh que oui ! dit M. Butor en se penchant au-dessus d'elle.

— Non, Emily ! hurla Rudger. C'est M. Bu…

Une main moite et glaciale comme un poisson se plaqua sur sa bouche et le tira vers l'arrière.

C'était elle !

Il se débattit, essaya de lui mordre les doigts ou de lui faire un croche-pied, mais en vain.

M. Butor se pencha au-dessus d'Emily, une main posée sur son épaule, et Rudger regarda s'ouvrir cette bouche interminable, qui forma un tunnel vers l'intérieur de sa tête. Emily semblait scotchée, comme un insecte pris dans de l'ambre, incapable de bouger. Elle restait figée à contempler l'obscur fin fond du tunnel-gorge.

Et tout à coup elle s'étira, fila comme de la crème anglaise qui dégouline et, avec un improbable *slurp* de contentement, M. Butor l'avala tout entière.

Sa bouche se referma d'un coup avec un bruit de xylophone. Des fumerolles grises s'échappèrent de sous sa moustache et il lâcha un rot soufré.

—Ah, ce que ça fait du bien ! se réjouit-il. Et maintenant…

Rudger, qui se débattait en vain, redoubla d'efforts. Emily n'avait pas vraiment été une amie, mais il l'aimait bien. Elle avait été gentille avec lui.

Il mordit plus fort que jamais et donna un grand coup de coude en arrière. La félonne pâlichonne et maigrichonne tomba à la renverse.

Rudger recracha un doigt dans la poussière de la ruelle et s'enfuit à toutes jambes.

Il entendit derrière lui un sifflement plaintif, comme de la vapeur s'échappant d'un tuyau percé, puis un bruit de pas se lançant à sa poursuite.

Il courut comme si sa vie en dépendait. Ce qui était sans doute le cas.

Au gré des tours et détours, les palissades en bois de la ruelle laissèrent place à des briques rouges, puis à d'autres briques, ternies, effritées, suintantes, recouvertes de vieux bouts d'affiches déchirées.

Et toujours derrière lui l'écho de ces pas.

M. Butor et la fille n'avaient pas renoncé. Ils ne l'avaient pas rattrapé parce qu'il courait vite, mais ils n'avaient pas renoncé.

Rudger se rendit soudain compte qu'il les emmenait tout droit à l'Agence, tout droit à la bibliothèque. Cet homme qui (Rudger l'avait vu de ses yeux vu) mangeait des imaginaires, les liquéfiait et les gobait tout crus... Rudger l'emmenait tout droit au lieu rêvé où trouver tous les Amis entre deux contrats qu'il voulait.

Cette pensée le fit courir plus vite. Il fallait absolument qu'il y arrive en premier.

— Je te vois, garçon ! dit une voix familière.

Rudger sursauta et lança : « Je suis un peu occupé, là, Zigzag... »

Le chat était assis dans l'ombre au milieu de la ruelle, une patte en l'air, occupé à se faire une toilette de l'arrière-train aussi vigoureuse qu'inefficace.

M. Butor ne le vit pas. Du moins, pas avant de se prendre le pied dedans, d'effectuer un vol plané et d'atterrir lourdement par terre.

Zigzag ressortit de cette collision un peu abasourdi, certes, un peu sens dessus dessous dans les détritus de la ruelle, certes, mais parfaitement intact. Néanmoins, en se remettant sur ses pattes, il flaira une autre menace. Pas l'odeur âcre de l'estompage, qu'il avait perçue au passage du garçon. Non, autre chose, quelque chose de malsain, comme un aliment tout moisi.

Puis des doigts froids se refermèrent sur son cou et le chat devint tout mou.

135

Rudger courait toujours. Il entendit M. Butor trébucher, entendit le feulement du chat catapulté, et remercia mentalement Zigzag. Ce petit malin lui avait sauvé la peau.

Il tourna un ultime coin et tomba sur la lampe clignotante au-dessus de la porte de l'Agence.

Une seconde plus tard, il posait la main sur la poignée.

En jetant un coup d'œil derrière lui pour voir si M. Butor s'était relevé, il eut la surprise de découvrir le mur de brique d'une courette. La ruelle s'était refermée, et Rudger semblait enfin en sécurité.

Puis il entendit une voix dire : « Mais où est-il donc passé, ce satané gamin ? Regarde, regarde ça, regarde un peu. On court comme des fous et on se retrouve dans la rue. C'est de la folie, de la folie d'imaginaire. »

C'était M. Butor qui se parlait à lui-même, ou peut-être à la fille, de l'autre côté du mur.

Là résidait la beauté d'une porte imaginaire dans une ruelle imaginaire. M. Butor ne la trouverait jamais tout seul et, avec un peu de chance, la fille ne connaissait pas le truc.

— Tu as raison, dit l'homme après avoir écouté sa compagne silencieuse. On doit réagir. Et j'ai ma petite idée. Tu te souviens de sa petite amie ?

Il y eut un sifflement de serpent asthmatique, puis Rudger entendit des pas s'éloigner, puis le silence. Il respira.

Enfin, il était de nouveau en sécurité. *Pauvre Emily,* songea-t-il. Avec toute cette course-poursuite, il n'avait pas eu l'occasion de repenser à ce qu'il avait vu. Maintenant, oui. Elle avait été liquéfiée. Pas mangée, mais bue par M. Butor.

Elle était partie, et Rudger ignorait s'il y avait un moyen de la faire revenir.

Et puis il pensa : *Où est le chat ?*

Et puis il pensa : *Il faut que je rentre.*

HUIT

— Non, non, non ! protesta Constrictor, le nounours imaginaire de taille humaine en agitant ses bras de peluche pour faire taire Rudger. M. Butor n'existe pas, c'est juste une histoire pour effrayer ceux qui viennent de tomber dans l'oubli. Ce n'est qu'une légende urbaine.

— Non, ce n'est pas une légende ! insista Rudger, à bout de souffle. Je viens de le voir avec la fille. Ils cherchaient la ruelle… J'ai dû m'enfuir, mais il a eu Emily. Je l'ai vu la manger. Je n'ai rien pu faire. Je suis désolé.

— Qui ça ?

— Emily, répéta Rudger en se frottant les yeux. Elle est partie, elle est…

— Emily ?

Difficile de décrypter l'expression sur le visage de l'ourse. Jouait-elle à un genre de jeu en prétendant ne jamais avoir entendu ce prénom ?

— Je l'ai vu la manger, répéta posément Rudger. Elle est partie, hein ? Elle ne reviendra pas ? Ou bien si ? demanda-t-il après une petite pause. Une fois qu'il a avalé l'un de nous, est-ce qu'il est possible de le récupérer ? On pourrait la sauver ?

Constrictor se frotta le menton d'une patte comme si elle réfléchissait.

— Les histoires que j'ai entendues disent qu'une fois qu'on s'est fait avaler, on est « hors du monde », comme si on n'avait jamais existé, dit-elle. C'est l'expression que j'ai entendue, « hors du monde ». Quand on est parti, on est parti. C'est pire que l'estompage. Enfin, ce serait pire si M. Butor existait, Rudger, mais M. Butor est une invention. Chocolat chaud ? Tu aimes bien ça, je crois.

Elle lui tendit un gâteau de son chariot comme si la discussion était close.

— Mais qu'est-ce qu'on fait pour Emily ?

— Je ne sais pas de qui tu parles.

À l'évidence, Rudger n'en tirerait rien. Elle ne jouait pas à un jeu, elle ne faisait pas semblant. Elle ne se souvenait tout bonnement pas d'Emily. Comme si Emily avait été rayée de sa mémoire à l'instant où elle avait été rayée de ce monde. Mais Rudger avait été témoin des faits, et lui se souvenait encore d'elle.

Il essaya d'aborder le sujet avec d'autres Amis.

La balle de ping-pong rebondissante ne se souvenait pas d'elle.

Un groupe de nains habillés en gnomes qui lui sautèrent dessus à douze depuis une étagère en hurlant : « ATTAQUE SURPRISE ! » ne se souvenait pas d'elle non plus.

Attaque surprise !

L'Ami habillé en instituteur du temps jadis, le grand Fandango, pria Rudger d'arrêter de lui faire perdre son temps. Il essayait de lire un livre, et, même s'il tenait l'ouvrage à l'envers, Rudger n'insista pas.

Tout le monde avait oublié Emily.

Rudger regretta que Flocon ne soit pas là. Le dinosaure était gros comme un éléphant, et les éléphants sont réputés avoir une très bonne mémoire. Mais peut-être que même Flocon aurait oublié Emily.

Il avait cru pouvoir obtenir de l'aide à la bibliothèque, mais à tort. Tout ce qu'il y avait trouvé, c'était un refuge et des repas gratuits le temps d'échafauder un plan pour mettre un terme aux habitudes alimentaires de M. Butor.

Y arriverait-il ? Était-ce vraiment ce qu'il souhaitait ? Ne préférait-il pas se cacher et préserver sa sécurité ? Ne serait-ce pas plus raisonnable ?

Sans doute, mais Amanda ne le lui aurait jamais pardonné.

En se dirigeant vers les hamacs, ce soir-là, il entendit un aboiement.

Il se retourna et découvrit un chien imaginaire qui le suivait.

Un vieux chien noir et blanc tout pelé, un peu flou sur les bords, les yeux cernés de gris, qui commençait à se décomposer. Rudger se rappela l'avoir vu la veille. C'était le dormeur du panneau d'affichage.

— Bonjour ! dit Rudger.

Le chien répondit par un jappement, puis pencha la tête de côté.

— Je peux faire quelque chose pour toi ?

— C'est toi, hein ? dit le chien d'une voix rauque mais amicale.

— Moi, quoi ?

— Le nouveau dont parlait Constrictor.

— Sans doute, oui. Je m'appelle Rudger.

— Alors dis-moi, Rudger, c'est vrai, ce qu'on raconte ?
s'inquiéta le chien.

Enfin quelqu'un qui me croit ! songea Rudger.

— Oui, tout est vrai.

— Ah là là, dit le chien en remuant la queue. Et…
comment va-t-elle, Rudger ?

— Tu te souviens d'elle ?

— Bien sûr que je me souviens d'elle !

— C'est juste que personne d'autre ne se souvient d'elle,
apparemment. Ils font tous comme s'ils ne l'avaient jamais
rencontrée, mais elle était là encore ce matin.

— Je ne voudrais pas te vexer, Rudger, mais je ne pense
pas qu'elle ait été là. Je l'aurais vue, sinon. Elle n'est pas
venue ici depuis des années.

— Mais si, bien sûr que si ! C'est elle qui m'a fait faire
la visite.

— Je ne comprends pas.

— Mais maintenant M. Butor l'a mangée, et personne ne
se souvient d'elle, personne d'autre que…

Le chien aboya, un aboiement apeuré et rageur à la fois.

— Qu'est-ce que tu veux dire, elle a été mangée ?
M. Butor ? Le tristement célèbre M. Butor ?

— C'est ce que je ne cesse de dire à tout le monde.

— Mais comment c'est possible ? On m'a toujours dit
qu'il mangeait des imaginaires. Personne ne m'a jamais dit
qu'il mangeait des personnes réelles.

— Mais… Emily n'était pas réelle.

— Qui c'est, Emily ?

Rudger ouvrit la bouche et la referma sans avoir rien dit.

Quelque chose ne tournait pas rond, dans cette conversation.

— De qui parles-tu ? demanda-t-il au chien.

— D'Elizabeth Tristoune, rétorqua le chien en faisant tomber un livre d'une étagère d'un coup de queue. De ma Lizzie.

— Ah, c'est qui ?

— Ma première amie. Celle qui m'a imaginé, il y a longtemps. Très longtemps.

— Mais quel rapport avec moi ?

— J'ai entendu dire que ton amie est la fille de mon amie.

— Non, tu dois faire erreur. Mon… amie… s'appelle Amanda. Amanda Chamboultou.

— Oui, ton Amanda est la fille de ma Lizzie.

Rudger gratouilla le chien derrière l'oreille le temps de digérer cette information.

— Tout ce que je veux savoir, c'est…, commença le chien. Eh bien, est-elle heureuse ? Est-elle devenue une adulte heureuse ?

— Je crois, oui. Elle travaille beaucoup sur son ordinateur, mais elle nous emmène quand même au parc et à la piscine, et pendant que l'ordinateur réfléchit, elle nous fait des gâteaux. Qu'est-ce qu'ils sentent bon ! Et elle rit de tout ce que peut faire Amanda, même les bêtises. Je la vois sourire, des fois, quand Amanda ne regarde pas. Et puis, quand on est censés dormir, je l'entends parfois rire au téléphone ou devant la télé. Je n'ai pas rencontré beaucoup d'adultes, mais je crois que c'est une adulte heureuse. Enfin bon, des fois elle s'énerve un peu contre Amanda, mais je ne crois pas qu'elle soit malheureuse. Enfin, jusqu'à ce que…

— Est-ce que…, l'interrompit le chien, ce qui tombait bien parce que Rudger préférait ne pas avoir à finir sa phrase.

— Quoi ?

— Est-ce qu'elle a jamais parlé de moi ?

— Hum…

— Frigo.

— Pardon ?

— Je m'appelle Frigo. Elle n'a sans doute pas dit : « Ah, si seulement mon bon vieux gros chien imaginaire était là maintenant », mais peut-être l'auras-tu entendu dire : « Mon Frigo me manque », enfin, tu sais, juste comme ça.

Le chien le regardait avec de grands yeux si suppliants que Rudger ne voulut pas le décevoir. Il fouilla dans sa mémoire pour essayer de retrouver ce que la maman d'Amanda avait bien pu dire. Pas évident, car elle racontait des tas de choses, mais aussi parce que penser à elle le faisait penser à Amanda. Puis une idée lui vint.

— Je ne sais pas si ça a une importance, mais elle a donné ton nom à un meuble dans sa cuisine. Celui qui fait du froid, où elle range le lait.

— Ah ! dit Frigo le chien d'un air satisfait.

Le lendemain matin, Rudger se planta devant le panneau d'affichage et scruta les visages en attente. Il y en avait une bonne vingtaine. Comment choisir ? Lequel serait la clé qui le ramènerait chez lui ? Lequel l'accompagnerait à l'hôpital pour l'aider à retrouver Amanda ?

Emily avait dit assez laconiquement : « On le sent, c'est tout. »

Frigo, endormi, attendait à sa place habituelle. Tandis que Rudger regardait les photos, il l'entendit bâiller.

— Oh, Rudger ! C'est déjà le matin ?

— Oui, répondit Rudger, un peu agacé d'être interrompu dans cette tâche importante, mais heureux d'avoir quelqu'un à qui parler. Comment on fait ?

— Pour choisir ?

— Oui.

— Ne réfléchis pas trop.

Rudger essaya de ne pas réfléchir.

— Et toi, pourquoi tu n'en as pas choisi un ? demanda-t-il. Ça fait une éternité que tu essaies, d'après ce que m'a dit Emily.

— Je suis un vieux chien, Rudger, répondit Frigo dans un nouveau bâillement. J'en ai choisi des tas. Maintenant, j'attends ma dernière mission. Une dernière et je serai prêt pour l'estompage.

— Ah bon ?

— Oui, ça devient usant, à force. J'ai déjà les bords un peu fumants. Je suis tout maigre, tu vois.

— Je ne voudrais pas paraître impoli, mais tu passes ton temps à dormir.

— Je te l'ai dit, je suis fatigué.

— Mais comment pourras-tu choisir si tu dors tout le temps ?

Le chien éclata de rire, un gros *wouf* chaleureux, et hocha la tête.

— Je le saurai, dit-il. Quand ce sera pour moi, je le saurai.

Il poussa un bâillement énorme et tourna plusieurs fois sur lui-même avant de se recoucher.

— Maintenant, si tu veux bien m'excuser… Tu es un brave garçon, Rudger. Je t'aime bien.

Et il se rendormit, sa truffe noire et luisante laissant échapper des ronflements.

Rudger reporta son attention sur le panneau d'affichage.

Sous ses yeux, les photos se mirent à bouger, comme si les visages flottaient à la surface de la mer. L'une passait devant les autres et semblait plus nette, comme si elle voulait vraiment être choisie, puis reculait pour être remplacée par une autre.

Mais tous ces enfants semblaient identiques. C'est-à-dire qu'ils n'étaient pas Amanda.

Aucun n'avait l'air d'incarner la prochaine étape du plan de Rudger.

C'était sans espoir.

Il tendit le bras pour attraper la première photo qui se présenterait, n'importe laquelle, quand soudain, enfin, quelque chose accrocha son regard.

Cette fille. Celle-là, là. Il la connaissait.

Julia Radinoir

NEUF

Ce matin-là, Julia Radinoir ouvrit la porte de son placard et n'en crut pas ses yeux.

— Qui es-tu et que fais-tu dans mon placard ? demanda-t-elle posément, mais en serrant fort sa robe de chambre par-dessus son pyjama.

Elle s'adressait à une fille d'à peu près sa taille, avec des taches de rousseur sur les joues et de longs cheveux roux bouclés retenus par un nœud.

— Bonjour, je m'appelle Rudger, dit celle-ci en lui tendant la main.

Julia lui lança un coup d'œil et renifla d'un air supérieur.

— Roger ? Ça, ça m'étonnerait. Tu m'as tout l'air d'une Veronica.

—Veronica ?

La fille dans le placard secoua la tête et esquissa un sourire, comme si Julia lui avait fait une blague, sauf que Julia n'avait pas l'impression d'avoir fait une blague.

— Non, non, je m'appelle Rudger, répéta la fille. Je suis l'ami d'Amanda.

— L'ami d'Amanda ? s'étonna Julia.

— Oui, ton amie Amanda.

Julia regarda dans le vague un moment avant de lâcher :

— Chamboultou ?

— Oui.

— Foldingue Chamboultou ?

— Non, Amanda Chamboultou.

— Tu es son amie ?

— Oui, et je t'ai déjà rencontrée, d'ailleurs. Elle m'a amené à l'école, une fois.

Julia se mordit la lèvre et pencha la tête de côté, exactement comme Amanda quand elle réfléchissait, sauf que chez Julia, cela n'avait pas le même charme. Elle avait dû répéter devant son miroir en pensant que c'était la tête des gens qui réfléchissent et qu'elle voulait faire comme tout le monde.

— Amanda avait un ami imaginaire qui s'appelait Roger, finit-elle par concéder. Elle m'a parlé de lui, mais je n'ai jamais…

Elle s'interrompit, puis se reprit.

— Attends deux secondes. Tu as raison. Elle a voulu nous faire croire qu'il était là, un jour. Elle nous a demandé de lui serrer la main. C'était trop drôle, on a eu du mal à ne pas éclater de rire. Elle est vraiment bizarre, cette fille. Tout le monde le dit.

La rouquine dans le placard secoua les cheveux et tapa du pied d'un air furieux.

— Elle n'est pas bizarre ! protesta-t-elle. Amanda est géniale. Et je m'appelle Rudger, pas Roger. Et je te prie de savoir que, quand tu as essayé de me serrer la main, tu m'as donné un coup dans le ventre.

— Non, ce n'est pas possible. Son Roger était un garçon.

— Mais je suis un garçon !

Julia toussota, comme on fait quand quelqu'un a dit une grosse bêtise et qu'il serait impoli de le lui signaler.

La rouquine baissa les yeux, souleva le volant de sa jupe, passa les doigts dans ses longs cheveux bouclés et leva un pied pour observer sa basket rose fluo.

— Je suis une fille ? s'étonna-t-elle, l'air surprise, stupéfaite, sciée.

— Ben oui ! rétorqua Julia comme si c'était l'évidence même — et de toute évidence, *c'était* l'évidence.

— Mais je m'appelle…

—Veronica, termina Julia. Et tu es ma nouvelle amie à moi.

Rudger n'avait pas remarqué le changement quand il s'était produit. Un truc comme ça aurait dû se remarquer, quand même, songea-t-il.

Il était passé de la bibliothèque au corridor en tenant à la main la photo de Julia, comme Emily et lui l'avaient fait avec celle de John Jenkins. Il s'était senti tout à fait normal, à ce moment-là. Il avait poussé la porte mi-réelle et emprunté le couloir tapissé de papier à petites fleurs bleues. Il s'était senti tout à fait normal à ce moment-là aussi. Il avait poussé l'autre porte, et là…

Julia avait ouvert son placard et l'avait trouvé.

Sauf qu'elle ne l'avait pas trouvé.

Elle l'avait *trouvée*, avec un e.

Explication toute simple : Rudger était à présent l'ami imaginaire de Julia, donc il avait l'apparence qu'elle voulait lui donner. En l'occurrence, elle avait voulu lui donner l'apparence d'une fille prénommée Veronica.

Emily ne l'avait pas prévenu que ce genre de chose pouvait arriver.

Et cela lui paraissait un peu injuste.

À l'intérieur, il se sentait toujours Rudger. Il se rappelait tous les trucs rudgeriens qu'il avait faits. Il se rappelait avoir grimpé à des arbres et être descendu dans le cratère bouillonnant d'un volcan avec Amanda, mais maintenant ses longs cheveux roux lui retombaient tout le temps dans le visage et il commençait déjà à avoir froid aux jambes sous sa jupe.

Rudger devait regarder la vérité en face : il était devenu une fille.

Julia fit descendre Rudger pour le petit-déjeuner.

— Maman, je voudrais te présenter ma nouvelle amie, annonça-t-elle.

— Une amie, ma chérie ? dit sa mère par-dessus son épaule, depuis l'évier où elle faisait la vaisselle.

— Oui, elle vient juste d'arriver, alors elle doit avoir faim.

— Mais qu'est-ce que tu racontes, ma chérie ? Une amie ?

— Je l'ai trouvée dans le placard. Tout va bien. Elle s'appelle Veronica.

Sa mère posa une tasse sur l'égouttoir et se retourna.

— Julia, je ne veux pas que tu fasses venir des amies à la maison sans m'en avertir. Je n'ai pas passé l'aspirateur, et ton père doit encore nettoyer le bassin du jardin. Que vont penser les gens ?

— Oh, ça ne la dérange pas. Elle habitait chez Amanda, avant, et sa mère à elle ne passe jamais l'aspirateur, tout le monde le sait.

La maman de Julia resta interdite, le temps de laisser arriver à son cerveau les mots que venait de prononcer sa fille. Il y avait beaucoup de mots, et ils n'allaient pas bien ensemble.

— Qu'est-ce que tu veux dire par : « Elle habitait chez Amanda, avant » ?

— Eh bien avant, c'était l'amie d'Amanda et elle s'appelait Roger, mais maintenant c'est mon amie Veronica.

— Amanda ? Amanda Chamboultou ? Celle qui est dans ta classe ?

— Oui, mais elle est tellement bizarre que Veronica a dû se trouver une nouvelle amie, une meilleure amie. C'est pour ça qu'elle est venue me trouver. Aïe !

— Qu'est-ce qui se passe ?

— Veronica m'a donné un coup de pied.

— Elle est là ?

— Bien sûr. Elle est debout juste là, répondit Julia en pointant Rudger du doigt.

Sa maman regarda longuement l'espace vide.

C'était assurément de l'espace, et cet espace était assurément vide.

— Ma chérie..., articula-t-elle.

— Oui, quoi ?

— Il n'y a personne, là.

Elle le dit à mi-voix, comme si elle marchait sur des œufs.

— C'est parce que tu ne peux pas la voir ! Elle est imaginaire.

— Imaginaire ?

— Ben oui !

Rudger n'eut pas droit à son petit-déjeuner.

La maman de Julia n'avait pas l'air de l'apprécier autant que la maman d'Amanda. La maman d'Amanda avait toujours été gentille avec lui ; elle lui disait bonjour même quand il n'était pas dans la pièce. La maman de Julia, c'était une autre histoire.

Quand Julia fut assise sur un tabouret haut pour prendre son petit-déjeuner, sa maman décrocha le téléphone dans le salon.

— Je crois qu'elle a dû se cogner la tête, entendit Rudger. Elle a des hallucinations. J'ai besoin d'un rendez-vous en urgence. J'ai peur que cela ne s'aggrave.

Rudger, ou plutôt Veronica, était assis(e) à côté de Julia.

— Julia ?

— Oui ? répondit-elle entre deux bouchées de céréales.

— Tu es au courant, pour Amanda ?

— Quoi, Amanda ?

— Tu es au courant qu'elle s'est fait renverser ?

— Renverser ?

— Oui, l'autre jour, à la piscine.

— Renverser ? Tu veux dire par un chien ?

— Non, vraiment renverser. Par une voiture. Sur le parking.

— N'importe quoi ! s'offusqua Julia en posant sa cuillère. Mais quelle idiote, celle-là ! On ne peut pas se faire renverser par une voiture dans un parking, puisqu'elles sont garées.

Rudger la dévisagea un instant. Il n'arrivait pas à savoir si elle faisait une blague ou non. Si c'était le cas, il ne la trouvait pas très drôle. Sinon, si elle ne plaisantait pas, alors ce n'était pas la compassion qui l'étouffait.

— Mais non, la voiture roulait, expliqua-t-il. On était en train de s'enfuir…

— Je ne veux pas le savoir, l'interrompit Julia en levant la main. Est-ce qu'elle est… ? demanda-t-elle dans un murmure en se penchant vers lui.

— Non, elle n'est pas morte. J'ai cru qu'elle l'était, mais le chat m'a raconté que…

— Écoute, Veronica, l'interrompit encore Julia. Je sais bien que tu es nouvelle ici, mais je crois qu'il va falloir qu'on fixe certaines règles. Pour commencer, dans cette maison, on ne démarre jamais une phrase par les mots « Le chat m'a raconté… ». Personne ne dit ça. C'est délirant. Je ne veux pas d'une amie imaginaire qui voit des chats qui parlent. Deuxièmement, je suis ravie qu'Amanda ne soit pas morte, évidemment, mais est-ce que tu pourrais éviter de parler tout le temps d'elle ? Tu es mon amie maintenant. Si tu passes ta vie à rabâcher à quel point tout était super avec elle, alors je vais arrêter de croire en toi. C'est compris ?

Rudger était déconcerté. Amanda avait toujours dit des choses gentilles sur Julia. Elle lui avait raconté qu'elles jouaient ensemble à l'école et qu'elles échangeaient parfois leurs sandwiches au déjeuner. Mais la Julia qu'il avait devant lui, c'était une tout autre histoire.

— J'ai besoin de toi, avoua-t-il. J'ai besoin que tu m'emmènes à l'hôpital. Je dois la voir. Je dois voir Amanda.

Julia croisa les bras. Julia secoua la tête.

Puis Julia renversa son bol par terre.

Le bol alla se fracasser dans une flaque de lait et de céréales et la cuillère produisit un bruit métallique sur le carrelage.

Sa mère accourut.

— Qu'est-ce qui s'est passé, ma chérie ?

Julia afficha une moue terrible et pointa Rudger du doigt pour faire bonne mesure.

— C'est Veronica ! C'est elle qui a fait ça !

Rudger avait l'habitude d'être accusé d'avoir provoqué des accidents, ou des choses qui, sans être véritablement des accidents, n'avaient pas tourné tout à fait comme elles l'auraient dû. Mais chaque fois qu'Amanda jouait les rapporteuses, c'était avec une lueur malicieuse dans le regard, un petit clin d'œil et les doigts croisés derrière le dos.

Or les yeux de Julia ne reflétaient rien d'autre que de la méchanceté.

La maman d'Amanda écoutait patiemment la dénonciation, puis disait à sa fille d'aller chercher la pelle et le balai ou d'écrire une lettre d'excuses au voisin, selon le cas, et on n'en parlait plus.

Or la maman de Julia, comme Julia, ne semblait pas comprendre comment fonctionnait la vie avec un ami imaginaire.

— Oh, ma chérie ! s'écria-t-elle tout en la serrant sur son cœur, en lui tapotant le dos et en l'embrassant sur la tête. Ma pauvre chérie. Ma pauvre, pauvre chérie.

Rudger trouvait la famille Radinoir plutôt stressée, dans son genre, submergée par des vagues d'émotions superflues qui dégoulinaient de partout.

Venir ici ne l'avait pas rapproché d'un pouce d'Amanda. Et vu la façon dont Julia venait de lui parler, il avait même l'impression d'être plus loin du but que jamais.

Une fois les dégâts réparés et le lait épongé (par une femme silencieuse en tablier qui venait deux matins par semaine pour le ménage), Rudger suivit Julia à l'étage.

— Aujourd'hui, c'est jour de lessive, annonça-t-elle. On doit rassembler tout le linge sale et le nettoyer.

— Ah bon, pas l'inverse ? osa Rudger, histoire de faire une petite blague.

Julia s'arrêta à mi-hauteur dans l'escalier pour le toiser.

— Mademoiselle Veronica Sandra Juliet Radinoir, tu es la fille la plus stupide que j'aie jamais rencontrée. Évidemment, « pas l'inverse » ! Qui prendrait des vêtements propres pour les salir ? Tu devrais réfléchir avant de parler.

Rudger (qui ne se savait pas pourvu d'autant de prénoms) réfléchit donc avant de reparler.

— Mais si personne ne prend jamais des vêtements propres pour les salir, pourquoi faut-il les laver ?

— Parce que, rétorqua Julia d'un ton sans appel. Parce que c'est comme ça, ajouta-t-elle pour enfoncer le clou avant de terminer l'ascension de l'escalier d'un pas rageur.

Rudger la suivit. À sa grande surprise, au lieu de prendre les vêtements dans le panier à linge et de les descendre jusqu'à la machine à laver, Julia s'assit devant une immense maison de poupées dont elle ouvrit les murs.

À l'intérieur, une dizaine de poupées de formes et de tailles diverses étaient assises bien comme il faut sur des chaises devant des tables.

Amanda avait des poupées, elle aussi, mais elles ne ressemblaient pas à celles-ci. Apparemment, Julia n'avait jamais coupé les cheveux de ses poupées ni collé du papier alu sur leur visage pour les transformer en robots. Dommage.

— Écoute-moi bien, Veronica, dit Julia. On va faire une pile de linge sale ici sur le tapis. Tu commences par ce côté-là et moi par ce côté-ci.

Elle prit délicatement la première poupée et la déshabilla, empilant les vêtements avec soin sur le bout du tapis qu'elle avait indiqué.

Rudger s'assit près d'elle. Comme le tapis de coco lui gratouillait les jambes, il se réinstalla en coinçant sa jupe sous lui. S'il fallait absolument que Julia ait une fille pour amie, ronchonna-t-il en lui-même, d'accord, il pouvait plus ou moins s'y faire, mais pourquoi n'aurait-il pas pu être une fille en pantalon ? Ça n'aurait pas été plus compliqué, non ?

Il sortit une poupée de la maison en la tirant par les pieds.

— Attention ! s'affola Julia. Brunhilde n'aime pas avoir la tête en bas. Doucement.

Rudger la remit à l'endroit. Doucement.

Il regarda la robe qu'elle portait.

— Ça m'a l'air propre, ça.

— Fais voir, dit Julia en tendant la main.

Rudger lui remit la poupée, qu'elle examina de près avant de la renifler puis de la lui rendre.

— Au sale ! décréta-t-elle.

🐈

Au bout de cinq minutes, ils avaient une pile de ce que Julia appelait des vêtements sales (et que Rudger aurait appelé des vêtements) et une maison de poupées remplie de poupées toutes nues.

— Maintenant, lessive ! ordonna Julia en se dirigeant vers la salle de bains.

Rudger la suivit, une pile de vêtements dans chaque main.

Cette matinée ne tournait pas comme il l'aurait voulu.

D'un côté, il était à l'abri de M. Butor, Julia croyait en lui (enfin, en Veronica, plutôt) et il n'était pas en train de s'estomper.

D'un autre côté, il n'avait pas progressé dans sa recherche d'Amanda. Julia, qu'il avait prise pour une ligne directe jusqu'à son amie, n'avait aucune intention d'aller à l'hôpital. Et si elle n'y allait pas, Rudger non plus.

Il fallait qu'il trouve un plan. Un nouveau plan. Un plan B.

Il y réfléchit alors qu'ils lessivaient tous deux à l'eau froide les vêtements de poupée dans le lavabo.

— Maman ne veut pas que j'utilise l'eau chaude, expliqua Julia en réponse à une question de Rudger. On peut se brûler, et en plus ça gâche de l'électricité.

Comment atteindre l'hôpital ? se demanda Rudger, debout sur l'abattant des toilettes pour suspendre les minuscules vêtements à une corde à linge tendue en travers de la baignoire.

Amanda y est allée en ambulance, non ? Et l'ambulance vient quand quelqu'un a un accident.

Mais Rudger doutait de pouvoir avoir un accident. Enfin, un accident qui le conduirait à l'hôpital. Pour commencer, il aurait fallu que quelqu'un le voie pour appeler l'ambulance, et puis il aurait aussi fallu qu'il se fasse vraiment mal et il ne s'en croyait pas capable.

Il n'était pas réel, et se faire mal était sans doute propre aux gens réels. Il avait été renversé en même temps qu'Amanda par la même voiture, mais lui s'était relevé avec juste un bobo au genou et une éraflure au coude, qui avaient aussitôt disparu.

Pour qu'un imaginaire se fasse mal, il fallait que son ami réel imagine qu'il se fasse mal, exactement comme Julia l'imaginait en jupe et avec des cheveux roux. Et ce n'est pas le genre de choses que font des amis.

Il y avait bien un moyen, pourtant. Un plan venait de germer dans sa tête. Un plan dangereux, un plan qui pouvait très mal tourner, mais si ce plan marchait, si ce plan ne se retournait pas contre lui, alors ce plan lui permettrait d'arriver à l'hôpital.

Mais était-il capable de le mener à bien ? Oserait-il ? Devait-il ? C'était vraiment le genre de choses qu'on ne fait jamais à un ami, mais il ne voyait pas d'autre solution.

— Julia ? cria la maman depuis le rez-de-chaussée.

— Oui ?

— Est-ce que… hum… est-ce que Veronica est encore là ?

— Oui, maman. On est dans la salle de bains.

163

— Ah. Et vous faites quoi, chérie ?

— À ton avis ? cria Julia d'un ton méprisant. Je viens de te dire qu'on était dans la salle de bains.

Sa maman s'en alla.

Rudger considéra de nouveau son plan. Il regarda les petits vêtements de poupée qui s'égouttaient dans le bain, puis Julia. Voilà ce qu'elle faisait pour s'amuser, se dit-il. Plus vite il retrouverait Amanda, plus heureux tout le monde serait. Il n'y avait pas d'autre solution.

— On fait quoi, maintenant ? demanda-t-il.

Julia réfléchit tout en s'essuyant les mains sur une serviette.

— On va boire un verre de jus de fruits. On l'a bien mérité.

Elle sortit sur le palier. Rudger la suivit.

Il examina son plan une dernière fois, espéra qu'il avait fait le bon choix et murmura : « Désolé. »

Alors que Julia approchait du haut de l'escalier, il lui fit un croche-pied et la poussa dans le dos pour précipiter sa chute.

DIX

Julia se prit les pieds en haut de l'escalier et plongea dans le vide en hurlant « Aaaaaaaaah ! ».

Au même instant, comme si la chance lui souriait, sa maman arriva dans l'entrée, téléphone à la main, en disant : « Chérie, mets tes chaussures, j'ai… »

En voyant sa fille qui chutait vers elle, elle lâcha son téléphone et tendit instinctivement les bras.

Julia lui atterrit dessus et elles basculèrent vers l'arrière et heurtèrent la porte d'entrée.

— Qu'est-ce qui s'est passé ? Tu vas bien ? s'inquiéta sa mère quand elle eut retrouvé son souffle.

— Veronica m'a fait un croche-pied, pleurnicha Julia.

— Bon, ça suffit, décréta sa mère d'un ton ferme. Comme je te le disais, j'ai réussi à t'obtenir un rendez-vous avec un docteur spécial.

— Un docteur ? Je ne suis pas malade. Je n'ai pas besoin d'un docteur.

— Oh, ma chérie, la consola sa mère en lui écartant une mèche de cheveux du visage. Tu ne sais même pas ce que tu dis. Si tu vois encore cette Veronica, si tu penses vraiment qu'elle vient de te faire un croche-pied, il faut absolument y aller.

— Je déteste les docteurs, protesta Julia en s'écartant. Ils sentent bizarre et ils ont les mains froides.

Sa mère ramassa son téléphone.

— Peut-être, ma chérie, mais on a rendez-vous à l'hôpital dans trois quarts d'heure.

— Mais…

— Allez, chaussures !

En haut de l'escalier, Rudger se sentait très mal.

À la seconde où il avait placé son pied devant la cheville de Julia, il avait compris que son plan était mauvais, mais trop tard pour empêcher ses mains de la pousser. Il n'était pas mauvais au sens où il risquait de ne pas marcher, mais au sens où il le faisait culpabiliser.

Même s'il avait cruellement besoin d'aller à l'hôpital pour trouver Amanda, il n'aurait pas dû faire mal à quelqu'un pour y arriver. Qu'aurait dit Amanda ? Julia était son amie, et Amanda en aurait voulu à Rudger de lui avoir fait mal.

Heureusement que la maman de Julia avait déboulé à ce moment-là. Cela le soulageait un peu.

Et soudain, il se rappela ce qu'avait dit sa maman : elle allait emmener Julia à l'hôpital. Hourra ! C'était l'occasion idéale. Son plan avait marché, finalement !

Il regarda Julia, qui traînait les pieds, tandis que sa mère ouvrait la porte d'entrée.

— Maman ! ronchonna-t-elle.

Rudger descendit à pas de loup, et Julia lui lança un regard mauvais.

— C'est toi qui m'as fait tomber ! l'accusa-t-elle.

— Elle est encore là, ma chérie ? murmura sa mère en refermant la porte.

— Elle est dans l'escalier. Je crois qu'elle veut venir avec nous.

— Hum… Peut-être que le médecin voudra la voir, elle aussi.

— Non, dit Julia entre ses dents serrées. Elle n'a qu'à rester là. Je la déteste.

À ces mots, Rudger ressentit un vague picotement dans le pied gauche. Il savait ce que c'était. Il avait déjà connu ça. C'était le premier signe de chatouillis qui se produisait avant qu'on commence à s'estomper.

Il n'était décidément pas très doué pour ce boulot d'ami imaginaire.

Il avait tout gâché. Tout.

Julia claqua la porte derrière elle avant que Rudger ait pu sortir.

Il tira sur la poignée, mais la maman de Julia avait verrouillé de l'extérieur. Il était enfermé.

Il courut jusqu'à la cuisine, où il y avait une porte de service qu'il avait repérée au petit-déjeuner. Il essaya la poignée, mais elle était verrouillée également.

Les fenêtres ?

Il devrait monter sur le plan de travail et déplacer le vase de fleurs, mais surtout c'était un modèle à serrure et il ignorait où se trouvait la clé.

Pas la peine de perdre du temps à la chercher. Julia et sa mère étaient sans doute déjà dans la voiture, et dans une minute elles seraient parties.

Il regarda autour de lui. Et dire qu'il se trouvait si près du but ! Enfin quelqu'un allait à l'hôpital, mais ce n'était pas lui. Il faillit crier de dépit. Au lieu de cela, il donna un coup de pied dans le tabouret sur lequel il s'était assis pendant le petit-déjeuner.

Le tabouret bascula et tomba par terre.

Rudger regarda où il avait atterri, près de la porte de service, et remarqua quelque chose qu'il n'avait pas noté quand il avait essayé la poignée.

Il y avait une chatière.

Il s'agenouilla et passa la tête à travers.

La chatière n'était pas fermée, tant mieux. La tête de Rudger était à l'air frais, dans le jardin, mais ses épaules ne passaient pas.

Il entendit le bruit d'un moteur qui démarrait.

De nouveau ce picotement dans ses pieds, et dans ses mains. S'il se faisait ignorer par Julia, s'il se faisait désimaginer, peut-être pouvait-il l'exploiter à son avantage. Il pensa à Amanda, essaya de se rappeler les sensations qu'il avait éprouvées avant de rencontrer Zigzag, quand il avait cru qu'elle était partie en le laissant seul au monde. Il s'était senti mou, vaporeux.

Il fallait qu'il se répète qu'Amanda était morte et que Julia le détestait. Il essaya de se souvenir d'Emily, de sa disparition, mais il découvrit qu'il ne se rappelait plus trop à quoi elle ressemblait. Elle s'estompait dans sa mémoire, comme dans celle de tous les autres.

Il flottait dans l'air cette odeur de poudre qui se répand quand on tire une dizaine de fois de suite avec un pistolet à amorces, sauf que personne ne s'était fait tirer dessus.

C'était Rudger qui s'estompait.

Il se tortilla et força vers l'avant et ses épaules se ramollirent.

L'encadrement de la chatière avait maintenant une consistance de sable, de poussière, et, avec un *flouf* soudain, Rudger glissa à travers et atterrit dans le jardin.

Il heurta le sol sans se faire mal.

Il se redressa. Il était si triste, il en avait si gros sur le cœur. Il avait envie de s'asseoir et de tout laisser tomber, mais alors il entendit des pneus crisser sur le gravier, une voiture qui s'éloignait, et il se rappela pourquoi il faisait tout cela.

Il se releva. Le dallage redevint dur sous ses pieds, et Rudger se mit à courir. Il ouvrit le portail et courut à toutes jambes.

La voiture était là, qui partait en marche arrière. La maman de Julia regardait par-dessus son épaule pour faire sa manœuvre, et Julia, sur la banquette arrière, pointait Rudger du doigt en disant quelque chose qu'il n'entendait pas.

Il comprit que jamais elle ne le laisserait monter à bord et fit la seule chose qui lui vint à l'idée : il courut vers la voiture, sauta sur le capot et s'accrocha aux essuie-glaces.

La maman de Julia ne pouvait pas le voir, évidemment, il ne lui bloquait donc pas la vue. Julia, elle, le voyait et le désignait en hurlant.

Rudger n'arrivait pas à distinguer les mots.

Mais il était certain d'une chose : tant qu'il restait sur le capot devant elle, elle ne pouvait pas ne pas croire en lui. Il se sentit plus réel que de toute la journée. Le métal chaud sous son torse, le verre froid contre ses doigts…

Les voilà donc partis, et le vent, qui jusqu'à présent ne lui avait pas posé de problème, lui posa un gros problème.

Rudger n'avait jamais voyagé sur le capot d'une voiture et n'avait jamais porté de jupe non plus. Amanda

l'encourageait toujours à tenter de nouvelles expériences ;
ce matin, ça faisait deux d'un coup.

Le vent souleva sa jupe et la rabattit sur le pare-brise
par-dessus sa tête, exposant ainsi aux yeux du monde entier
ses jambes et la culotte que Julia avait imaginée pour lui.
Encore heureux que je ne sois pas réel, songea-t-il. (Et encore
heureux qu'elle ait pensé à lui imaginer une culotte.) Sinon,
cet incident aurait pu être atrocement gênant, alors que là,
c'était juste très gênant.

Pour Julia, qui assistait à la scène de l'intérieur de la
voiture, le pare-brise recouvert par la jupe de Veronica
constituait une vision aussi dérangeante que déroutante.
D'un côté, elle imaginait le spectacle vu de derrière, ce qui
était rudement amusant, mais, de l'autre, la jupe masquait le
pare-brise tout entier et sa mère continuait à rouler.

Julia ne savait pas conduire, mais elle supposait que les
conducteurs apprécient de voir où ils vont.

— Maman, dit-elle avec angoisse.

— Oui, ma chérie ?

— Elle est toujours là.

— Sur le capot, ma chérie ? demanda sa mère, étrangement
calme.

— Oui. Mets les essuie-glaces en marche.

— Mais il ne pleut pas.

— Fais-le, c'est tout.

Ne sachant trop comment se comporter avec sa fille
de plus en plus hystérique, la mère de Julia appuya sur le
bouton des essuie-glaces.

Rudger s'accrochait.

La voiture finit par se garer sur le parking de l'hôpital.

— Et maintenant, ma chérie, il faut qu'on trouve un panneau « Pédopsychiatre », dit la maman de Julia alors qu'elles descendaient de voiture. Tu veux bien m'aider à chercher ?

Elles s'éloignèrent en direction de l'immense bâtiment, dont les centaines de fenêtres scintillaient au soleil comme une paroi rocheuse illuminée.

Julia jeta un dernier regard à la voiture et eut un petit rire sardonique.

Le temps que le véhicule s'arrête enfin, Rudger avait mal partout et très froid sous sa jupe. Toute cette aventure aurait été bien plus facile à gérer en pantalon. Amanda, elle, lui aurait donné un pantalon à tous les coups, songea-t-il. (Quoique, à la réflexion, si Amanda l'avait su capable de voyager sur le capot d'une voiture, elle l'aurait déjà sans doute obligé à le faire, juste pour rire. Il se promit de ne jamais le lui raconter, au cas où.)

Une fois Julia et sa maman parties, il se laissa glisser du capot.

Il avait les jambes en coton, comme s'il avait fait plusieurs tours sur un manège déchaîné ou dans une lessiveuse.

Il surprit son reflet dans le rétroviseur. L'étrange rouquine qu'il était devenu le regardait bien en face.

Quand le monde eut enfin terminé son imitation d'une tempête dans les quarantièmes rugissants, Rudger se redressa et se dirigea vers l'hôpital.

ONZE

Rudger devait écarter les cheveux de son visage et rabaisser sa jupe défraîchie à chaque bourrasque. Il n'avait pas l'habitude d'être vêtu ainsi, mais c'était un coup à prendre.

Il se demanda combien de temps cela allait durer et si, maintenant que Julia l'avait renié, il allait redevenir normal ou bien rester coincé dans cette apparence pour toujours... ou plutôt, jusqu'à son estompage, car le picotement était revenu.

Première étape : trouver Amanda. Voilà qui résoudrait son problème, non ? Elle le réimaginerait forcément sous son apparence d'origine.

Rudger avança jusqu'aux portes vitrées qui s'écartèrent à son approche. Voilà qui était très accueillant, très amical. Après tout ce qu'il venait de traverser, cette délicate attention lui redonna le moral.

Il s'avança vers l'accueil.

Il y avait un comptoir, et un panneau *Renseignements* accroché au-dessus. Là, on pourrait lui dire où se trouvait Amanda, sauf que…

Sauf qu'il était imaginaire. Le réceptionniste ne pouvait pas le voir.

Pas de souci. Il n'avait qu'à se glisser derrière et trouver un listing des chambres. Facile, non ?

Il se faufila derrière le réceptionniste et regarda par-dessus son épaule les classeurs remplis de papiers. Pas si utile que ça, finalement. L'hôpital était très grand, il y avait des pages et des pages de listes, et Rudger ne comprenait pas les abréviations et les chiffres écrits à côté des noms.

C'était à désespérer.

Peut-être que s'il trouvait un panneau indiquant le service de pédiatrie (ils regroupaient forcément tous les enfants, non ?), il pourrait chercher chambre par chambre. Ce serait sans doute la meilleure solution.

Alors que cette idée lui venait, il leva les yeux par hasard.

Les portes automatiques coulissèrent et un homme entra. Rudger le reconnut du premier coup d'œil, à la façon dont il caressait sa moustache, à la façon dont il relevait ses lunettes noires sur le sommet de son crâne chauve, à la façon dont il ressemblait comme deux gouttes d'eau à M. Butor.

C'était M. Butor.

Rudger s'accroupit et, dix secondes plus tard, l'entendit s'adresser au réceptionniste.

— Chamboultou ? Il y a une Chamboultou ?

— Chamboultou ? Vous avez un prénom ?

— Moi ?

— Non, la patiente. Son prénom ?

— Ah, je vois. Oui, bien sûr. Amanda Chamboultou.

— Attendez, je regarde, dit le réceptionniste en faisant courir son doigt sur plusieurs feuilles de papier. Chambre 117, au quatrième étage. Mais les heures de visite ne commencent qu'après le déjeuner. Le matin, c'est réservé aux familles. Vous êtes de la famille ?

— Non, je ne suis pas de la famille, répondit M. Butor en secouant la tête. Je suis juste un ami. Cet après-midi, vous dites ? Chambre 117 ?

— À partir de 14 heures.

— Parfait, je vais attendre.

— Comme vous voudrez, dit le préposé avant de se replonger dans ses papiers, puis de relever le nez au bout de quelques secondes. Je peux faire autre chose pour vous ?

— Cette odeur ! lança M. Butor en reniflant. Je sens une odeur. Vous sentez cette odeur ?

— Ah, ça ? C'est les nouveaux agents d'entretien. Ils ont commencé lundi. Je leur ai pourtant dit de ne pas utiliser le truc qui sent le citron, parce qu'il y a des gens allergiques, pas vrai ? Allergiques aux cacahuètes, tout ça. On est dans un hôpital, quand même.

— Mmm, grogna M. Butor, qui l'ignora et se parla à lui-même. Ce n'est pas du citron. C'est… rien du tout.

Au bout d'un moment, il s'éloigna. Rudger entendit le bruit de ses pas lourds. Il y avait un stylo par terre près du pied du réceptionniste. Il le ramassa et écrivit 4 et 117 sur le dos de sa main. M. Butor l'avait bien aidé.

Mais pourquoi cherchait-il Amanda, lui aussi ?

Et qu'avait-il senti ? Était-ce Rudger ? On racontait qu'il arrivait à flairer l'estompage. C'était grâce à cela qu'il avait réussi à mettre la main sur… comment s'appelait-elle déjà ?

Rudger jeta un coup d'œil furtif sur le côté du bureau d'accueil. Assis sur un banc près de l'entrée, M. Butor lisait un journal.

Rudger courut le plus discrètement possible jusqu'à une porte indiquant Escalier.

Rudger passa devant des chambres communes aux couleurs éclatantes pleines d'enfants malades et des chambres individuelles pleines de machines qui faisaient bip et d'adultes à l'air soucieux.

Dans l'une d'elles, une petite fille assise sur une chaise près d'un lit leva les yeux et le surprit qui la regardait. Elle lui sourit.

Rudger lui rendit son sourire.

Il faillit entrer lui parler, lui dire quelque chose comme : « Fais attention à toi. Il y a un homme en bas à l'accueil qui mange les gens comme toi et moi », mais il ne voulut pas l'inquiéter. M. Butor était là pour Amanda, ce qui signifiait, Rudger le savait bien, que M. Butor le cherchait lui. Il espérait que les autres, en conséquence, n'étaient pas menacés pour l'instant.

Il sourit de nouveau à la fillette et repéra le numéro de la chambre : 84.

Il continua sa progression dans le long couloir, qui sentait les produits d'entretien et les médicaments. Des infirmiers poussaient des brancards vers les ascenseurs, une femme de ménage passait paresseusement la serpillière le long de la plinthe. Aucun ne le voyait.

Et pourtant, il avait la curieuse impression d'être observé.

Il jeta un coup d'œil derrière lui.

Personne. La petite fille n'était pas sortie de sa chambre pour le suivre des yeux. Personne ne le regardait. Les gens qu'il voyait étaient tous réels.

Et pourtant, alors qu'il avançait dans le couloir, une étrange sensation lui chatouilla la nuque.

Il compta les portes, dont les numéros allaient croissant de part et d'autre du couloir.

Il hâta le pas et trouva enfin la 117.

Rudger ouvrit la porte. La maman d'Amanda leva les yeux quand il entra.

— Fichue porte ! grommela-t-elle en se levant pour la refermer derrière lui.

La toute petite forme d'Amanda gisait sous les couvertures. Sur les machines installées d'un côté du lit, de petites lumières rouges clignotaient. Elle avait la tête entourée d'un bandage et le bras gauche dans le plâtre, sans doute cassé. Rudger se rappela qu'il avait l'air tout tordu la dernière fois qu'il l'avait vue.

Elle dormait.

Il n'aurait su dire si son cœur s'était arrêté, ou au contraire s'il battait tellement vite qu'il n'en sentait même plus les battements, juste un petit vrombissement d'oiseau-mouche enfermé dans sa poitrine. Il avait le tournis. Amanda était là.

Il était là et Amanda était là. Après des jours de séparation, ils étaient enfin réunis.

Rudger pleura. (Juste une larme. Sinon, Amanda se serait moquée de lui.)

La maman d'Amanda ramassa le magazine posé sur un fauteuil, puis reprit sa place et l'étala sur ses genoux sans le lire.

Il y avait un petit lavabo contre un mur, à côté d'un grand placard sur lequel une pancarte disait : *À l'usage exclusif des patients*.

Ils étaient au cœur du bâtiment et la chambre n'avait pas de fenêtre, juste un poster représentant une forêt ensoleillée punaisé près du placard. Ce n'était pas la plus jolie des chambres, mais c'était celle où se trouvait Amanda.

Rudger se posta au pied du lit et la regarda.

Elle avait l'air serein. Sa respiration faisait le même bruit que la nuit quand elle dormait, ce qui rappela à Rudger les moments passés dans son placard, chez elle. Il aurait voulu demander à sa maman (la Lizzie de Frigo, songea-t-il avec un sourire) comment elle se portait. Il brûlait de savoir ce qui lui était vraiment arrivé.

Accrochée au pied du lit en métal, une planchette à pince tenait son dossier médical, mais ce ne fut pas ce qui attira l'œil de Rudger. Non, ce fut la petite plante qui poussait sur le coin du châlit, comme le pied unique d'un baldaquin. Elle montait droit vers le plafond, sur à peine un mètre, et avait donné naissance à deux fines branches ornées de quelques feuilles.

Fait crucial : elle n'était pas réelle.

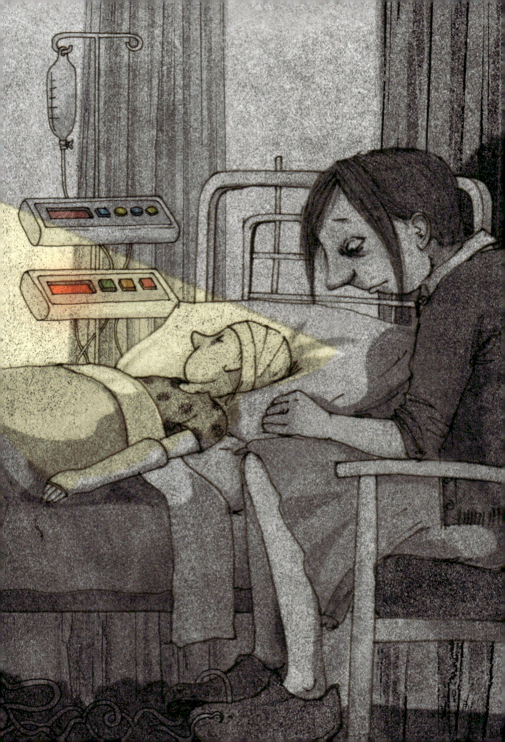

Même dans son sommeil, l'imagination d'Amanda faisait de cette chambre la sienne.

Rudger était fier d'elle. Amanda avait un vrai don et c'est pourquoi il voulait être son ami à elle et non celui de John Jenkins ou de Julia Radinoir.

— Amanda, ma chérie, je descends me chercher une tasse de thé. Je n'en ai pas pour longtemps. Tu veux quelque chose de la cafétéria ?

Amanda ne dit rien.

Sa maman eut un pauvre sourire, comme si Amanda lui avait répondu : « Non merci, maman. »

Elle avait l'air exténuée. De gros cernes noirs soulignaient ses yeux et elle n'était pas aussi bien coiffée que d'habitude. Elle avait dû passer toute la nuit à l'hôpital. Rudger se demanda qui s'occupait de Micro-Ondes, le chat, à la maison.

Elle sortit.

Rudger jeta le magazine par terre et s'assit dans le fauteuil encore chaud. Il écarta d'une main les longs cheveux roux qui lui tombaient devant le visage et posa l'autre sur le drap blanc près de l'épaule d'Amanda.

— Amanda. C'est moi, Rudger.

Il parlait tout bas pour ne pas la réveiller, ce qui était stupide puisqu'il voulait justement la réveiller, ne serait-ce qu'un instant, pour lui faire savoir qu'il était là, qu'il avait accompli un long chemin et qu'il l'avait enfin retrouvée. Après, elle pourrait dormir tout son saoul.

Il lui tapota doucement l'épaule.

— Amanda ?

Avait-elle bougé ? Sa respiration avait-elle changé de rythme ? Sa paupière avait-elle tressailli ?

Il se pencha au-dessus du lit pour lui parler au creux de l'oreille.

— Amanda, dit-il en lui serrant doucement la main. Je suis tellement désolé que tu sois blessée. Tout est de ma faute. Si tu ne m'avais pas imaginé, M. Butor ne nous aurait jamais poursuivis et tu… tu n'aurais pas été renversée. C'est de ma faute. Tout est de ma faute. Je suis tellement désolé. Réveille-toi vite. Tu me manques.

Ça faisait du bien de lui avoir dit tout cela, il se sentait plus léger, même s'il faudrait tout lui redire quand elle pourrait vraiment l'entendre.

Il se carra dans le fauteuil et regarda autour de lui.

Un coin de la chambre était plus sombre que les trois autres.

Bizarre.

Alors la lumière vacilla, grésilla et s'éteignit.

DOUZE

La chambre d'Amanda était plongée dans l'obscurité, hormis le faisceau lumineux qui pénétrait par la porte vitrée.

Rudger vit la fille, la fille muette aux cheveux noirs, l'amie aux doigts glacés de M. Butor, sortir de sa cape d'ombre pour entrer dans le rectangle de lumière.

Il se leva d'un bond et se précipita au bout du lit pour s'interposer entre la fille et Amanda, ce qui était à la fois courageux et imbécile, puisque ce n'était pas après Amanda qu'elle en avait, mais tant pis.

La fille pencha la tête de côté et ses os craquèrent. Elle le dévisagea comme si elle ignorait qui il était. Il se rappela alors qu'il était lui aussi habillé en fille, tout en rose.

Elle renifla deux fois, puis hocha la tête. Oui, il était bien ce qu'elle cherchait, après tout.

Que pouvait faire Rudger ?

— Amanda ! cria-t-il. Amanda, réveille-toi !

Aucun mouvement derrière lui.

Alors, la fille se jeta sur lui, ses doigts crochus en avant (y compris celui qu'il avait sectionné dans la ruelle, remarqua-t-il, un petit moignon avec un nouvel ongle au bout telle une griffe). Elle lui tomba dessus et lutta contre lui en sifflant, tout en le fixant de son regard vide.

De ses mains froides, elle le propulsa contre le lit.

Les lits d'hôpital sont pourvus de roulettes, et le frein n'avait pas dû être actionné sur celui d'Amanda. Chaque fois que les deux adversaires s'y cognaient, il roulait en arrière contre le mur.

Quelqu'un qui serait passé dans le couloir aurait vu un lit heurter une cloison dans la pénombre. *Pas étonnant que les gens croient aux fantômes*, songea Rudger. Mais il n'avait que faire des fantômes. Il avait besoin d'aide, et l'aide n'arrivait pas.

Il savait, en revanche, ce qui arrivait dans l'escalier à cet instant même, malgré les heures de visite et le règlement de l'hôpital : quelque chose d'énorme, quelque chose de chauve, quelque chose d'affamé.

Le lit heurta une troisième fois le mur, et Rudger entendit un gémissement derrière lui. Puis un toussotement et un grognement.

— Ooooh, geignit Amanda d'une petite voix ensommeillée.

— Amanda ! cria-t-il, sentant l'espoir renaître en lui.

Sans desserrer sa prise glaciale qui le bloquait comme un enchevêtrement d'algues, la fille lui souffla dans le visage. Elle avait une haleine de mort. *C'était* la mort.

Il se contorsionna pour voir la silhouette d'Amanda qui s'asseyait sur son lit et portait son bras valide à sa tête bandée.

— Amanda, au secours ! cria-t-il entre deux souffles.

Mais elle ne l'entendait pas. Elle ne le voyait pas. Elle ne les voyait ni l'un ni l'autre.

S'accrochant d'une main à la jeune pousse, il se hissa de manière à caler son dos contre le châlit métallique, ce qui lui permit de lever les pieds pour les plaquer sur la poitrine de la fille. Il la repoussa de toutes ses forces, faisant tomber la planchette à pince par terre au passage.

Amanda bâilla.

Où était-elle ? Elle regarda autour d'elle d'un œil trouble et bâilla de plus belle.

Cela ne ressemblait pas à sa chambre. Cela ne sentait pas comme à la maison. Elle avait fait un rêve des plus étranges.

Puis le lit remua. Quelque chose heurta le sol avec un bruit métallique.

Ce n'était pas normal.

Elle avait la tête lourde, elle se sentait sonnée, elle avait mal partout, elle avait soif, elle avait faim, elle était épuisée, mais quand le lit remua de nouveau, elle cligna des yeux pour en chasser le sommeil et se redressa dans son lit au mépris de la douleur.

Elle examina la pièce où elle se trouvait et comprit qu'il s'agissait d'une chambre d'hôpital. Elle avait le bras gauche dans le plâtre, tout endolori. Le manteau de sa maman était posé sur le dossier du fauteuil. Elle avait atrocement mal à la tête. Elle avait eu un accident. Elle se rappelait avoir couru, et puis il y avait eu une voiture. Se réveiller dans un hôpital semblait logique.

Rien de tout cela ne la surprenait. Mais il y avait un arbre qui poussait sur le pied de son lit. Une jeune pousse. Et cette jeune pousse ondulait. Étrange… La jeune pousse ondulait comme si elle avait été agitée par le vent, et ce qui était étrange, c'est qu'il n'y avait pas de vent.

C'était un joli bébé arbre, et elle le vit croître, écarter les carreaux du plafond et laisser entrer la lumière du jour dans la pièce.

Cette lumière la réconforta. Elle se demanda où était sa mère.

Et soudain, la porte s'ouvrit.

M. Butor referma la porte derrière lui.

Il fusilla du regard l'arbre imaginaire, qui mourut aussitôt. Les feuilles se ratatinèrent sur les branches, les branches se ramollirent et tombèrent.

— Ah, tu es réveillée, petite fille ! constata-t-il, sa moustache frémissant à chaque mot. Mais pas vraiment en éveil, il faut croire.

— Qui êtes-vous ? demanda Amanda. Vous êtes un docteur ?

— Non ! hurla Rudger. Ce n'est pas un docteur !

Il était toujours aux prises avec la fille, qui avait réussi à lui faire une clé de bras dans le dos. De l'autre main, elle avait entortillé les longs cheveux roux de Rudger. Le combat était plus ou moins terminé. Rudger se retrouvait immobilisé.

Elle le tira en arrière vers le milieu de la pièce et l'offrit à M. Butor comme un chat offre un moineau agonisant à son maître.

L'homme tendit le bras et toucha la joue de Rudger.

— Tu es sûre que c'est lui ? demanda-t-il à la fille, qui émit un sifflement putride. Je vois. Bon, Rudger le Rose, tu m'as bien embêté. Tu nous as sacrément fait courir, hein ? Tu vois ça ? dit-il en désignant une égratignure sur son front. Je me suis fait ça en tombant à cause de ton chat puant et mal embouché. Tu m'as fait mal, jeune Rudger. Mais même la chance a une date de péremption, et devine quoi… La tienne, c'est aujourd'hui.

Rudger savait ce qui allait se produire. Il aurait voulu courir, se libérer, s'échapper d'un bond, mais la fille l'immobilisait.

— Non ! dit-il.

Il dut puiser dans ses dernières forces pour prononcer ce seul mot. La poigne de cette goule l'avait vidé de toute son énergie. Il était vaincu. Perdu. Pour de bon.

— Mais à qui parlez-vous ? demanda Amanda. Qui est Roger ? Et qu'est-ce qui fait ce sifflement ?

L'homme qu'elle avait pris pour un docteur mais qui n'en était sans doute pas un (se dit-elle en le voyant planté là au milieu de la pièce à parler tout seul) se tourna pour la regarder.

— Oh, ça alors ! dit-il sous sa moustache. Elle ne te voit pas.

Il regardait Amanda droit dans les yeux, et pourtant elle eut la conviction que ce n'était pas à elle qu'il parlait. Elle avait mal à la tête. Quelque chose ne tournait pas rond.

— Elle ne se souvient pas de toi, Rudger, poursuivit M. Butor en se détournant d'elle. Ça peut arriver, après un coup à la tête. Comme c'est triste. Une petite larme, peut-être ? Ça adoucira le goût. Il vaut mieux que je te mange avant que tu t'estompes. Considère-moi comme un ami, le gentil M. Butor qui rend service à un ami.

Il avait raison, elle avait bien reçu un coup à la tête, et elle savait que cela pouvait faire perdre la mémoire. Cela s'appelle une amnésie. Elle se souvenait de cela. Mais qu'avait-elle donc oublié ? L'homme avait raison, il y avait comme un trou quelque part. Elle tâta ce trou du bout de la langue de sa mémoire. Oui, il y avait un trou.

Mais ce qui manquait à l'intérieur du trou, elle n'en savait rien.

La chambre était de nouveau dans la pénombre, la jeune pousse était morte, les carreaux du plafond avaient repris leur place. Amanda se sentait nauséeuse et fatiguée. Tellement fatiguée.

Elle se rallongea sur ses oreillers. Ce serait plus simple de se rendormir, non ? Elle avait besoin de repos, non ? C'est bien ce qu'ils disaient toujours à la télé, non ?

Ses paupières se fermaient toutes seules.

— Amanda ! cria de nouveau Rudger avec l'énergie du désespoir et de la rage. Aide-moi !

Elle s'était rallongée sur les grands oreillers blancs.

Qu'elle ne l'ait pas vu alors qu'elle avait vu M. Butor lui faisait l'effet d'une poignée de sel sur une écorchure au genou : ça brûlait. C'était injuste, c'était méchant, c'était blessant. Elle était son amie à lui, pas celle de M. Butor. Si elle devait voir quelqu'un, cela devait être lui.

M. Butor se rapprocha de lui, une lointaine odeur de désert chargée d'épices pourries s'insinua dans la chambre, alors Rudger engagea ses dernières forces dans une ultime bataille.

Il se cabra et la fille trébucha. Elle ne lâcha pas ses longs cheveux, mais au moins il l'avait fait trébucher.

Ils vacillèrent vers l'arrière et heurtèrent le placard *à l'usage exclusif des patients*.

Avec un sifflement guttural, la fille se redressa et repoussa Rudger vers l'avant jusqu'à ce qu'ils se retrouvent exactement à l'endroit d'où ils étaient partis.

Un gros choc du côté du placard fit se redresser Amanda sur les coudes. Elle le vit tanguer contre le mur.

Et là, la porte du placard s'ouvrit.

La lumière provenant du couloir éclaira l'intérieur.

Amanda vit son manteau et son jean accrochés à un cintre et son sac à dos par terre. Toutes ses affaires qui l'attendaient.

À l'intérieur de la porte du placard était fixé un grand miroir. Un jour, quand elle serait rétablie, elle remettrait ses vêtements, elle se regarderait dedans et...

Oh ! se dit-elle alors que ses autres pensées faisaient silence.

La porte du placard battait d'avant en arrière, et le miroir réfléchissait autre chose que ce qu'elle voyait en vrai dans la pièce.

Une fille vêtue de rose se débattait entre les bras d'un monstre livide enrobé d'une fine couche mouvante de chair et de peau nimbée de lune, avec de longs cheveux noirs fourchus, hirsutes et pleins de toiles d'araignées.

Cette vision déclencha quelque chose en elle, un souvenir, le souvenir... de se trouver dans le bureau de sa mère. Elle se rappela s'être cachée sous le bureau, et Goldie, la baby-sitter, qui la cherchait.

C'était quoi, cette histoire ?

Et c'était qui, cette fille qui se battait avec la goule ?

Et pourquoi Amanda pensait-elle « garçon » au lieu de « fille » ?

Alors, tout lui revint d'un coup.

Toute l'histoire.

TREIZE

Rudger se sentit parcouru par un frisson, un curieux tremblement qui le réchauffait, et ensuite quelque chose se produisit.

Il se retrouva libre.

Quand ils étaient tombés, la fille avait un peu relâché son étreinte sur son bras, mais elle avait resserré sa poigne sur sa chevelure rousse enroulée dans l'autre main. Maintenant, ces longs cheveux avaient disparu, et du coup elle avait la main serrée sur de la vapeur : Veronica s'était évaporée et Rudger était redevenu le vrai Rudger imaginaire.

Une énergie insoupçonnée bouillonna dans ses membres, son cœur se remit à battre normalement, et il en profita pour repousser la fille, bousculer M. Butor et courir vers le lit d'Amanda.

Libéré de la fille, il sentit l'espoir renaître en lui. Ils avaient une chance de s'en sortir.

— Vite ! dit Amanda en lui tendant sa main valide pour le hisser sur le matelas.

— Aïe, aïe, aïe ! se lamenta M. Butor en se retournant lentement pour leur faire face. J'avais espéré ne pas avoir à… perturber… la jeune Mlle Chamboultou. Perdre la mémoire est tout à fait naturel, ma chère, et cela fait nettement moins souffrir. Mais quand je vais le prendre maintenant…

— Vous n'allez pas prendre Rudger, l'interrompit Amanda.

— Il mange les imaginaires, murmura Rudger. Je l'ai vu faire.

— Il faut qu'on sorte d'ici, lui répondit-elle dans un souffle.

— Comment ?

Ils regardèrent autour d'eux. À première vue, cela semblait impossible. Non seulement Amanda restait faible et handicapée (même si elle se sentait mieux avec Rudger à ses côtés), mais en plus la seule issue était la porte qui se trouvait derrière M. Butor, et il n'allait pas les laisser sortir. À deuxième vue, cela semblait toujours impossible.

Il y eut un sifflement et la fille aux cheveux noirs leur sauta dessus. Elle ne ressemblait plus au monstre qu'Amanda avait vu dans le miroir, juste à la fille triste et blême qu'elle avait vue un jour devant chez elle, mais même ainsi elle faisait peur.

Rudger se recula au souvenir du contact de ses mains, mais avant qu'elle ait atterri sur le lit, quelque chose se produisit.

Il y eut un chatoiement dans l'air.

Au lieu de leur tomber dessus, la fille s'écrasa sur un dôme de verre sorti de nulle part pour protéger le lit.

Rudger découvrit près de lui un tableau de bord, une rangée de boutons, de jauges et de poignées en cuivre. Il les reconnut. Il s'en souvenait, évidemment : c'était le sous-marin dans lequel ils avaient exploré tant d'océans.

Mais il était imaginaire, pas réel.

Rudger jeta un coup d'œil à Amanda.

— C'est la première chose qui m'est passée par l'esprit, expliqua-t-elle. Si ça empêche l'eau de rentrer, ça marchera peut-être aussi pour eux.

— Mais il n'est pas réel.

— Oui, mais à mon avis, eux non plus.

Au-dessus d'eux, la fille grattait l'épais verre blindé. Elle avait le visage blême de colère, les yeux fixes tels deux puits de ténèbres et ses cheveux flottaient autour d'elle, ondulant au gré des courants sous-marins comme des pissenlits tout noirs.

— Elle n'arrivera jamais à entrer, affirma Amanda. Je l'ai construit solide, ce truc.

La fille cessa ses efforts. Elle se redressa, s'immobilisa et regarda M. Butor.

Il applaudissait. Il portait un scaphandre à l'ancienne, avec un gros casque de cuivre orné de petits hublots. Des poissons nageaient autour de lui.

— Très malin ! commenta-t-il d'une voix qui grésillait dans les haut-parleurs de la capsule. Voilà une fille qui a des étincelles de génie. Une fille qui a de grands rêves.

— Je n'ai pas de grands rêves, non, dit Amanda en appuyant sur le bouton de l'interphone. J'ai un sous-marin deux places qui peut rester en plongée pendant huit heures à une profondeur de plus de cinq mille mètres. Vous allez devoir attendre, déclara-t-elle avant d'enlever son doigt du bouton pour murmurer à Rudger : D'ici là, maman sera revenue et elle ira chercher un vigile pour le virer.

— Tu oublies une chose, petite fille, intervint M. Butor.

— Ah oui ?

— Je suis beaucoup plus vieux que toi. Beaucoup plus intelligent, plus grand, plus sage. J'ai vu beaucoup plus de choses. J'ai rêvé et imaginé des mondes pour lesquels tu n'arriverais même pas à trouver un nom. J'ai voyagé et mangé dans tous les…

Perchée sur le dôme du sous-marin, la fille frappa sur la vitre et émit un sifflement de bulles.

— D'accord, d'accord, reconnut M. Butor en agitant la main. C'est trop long et emberlificoté, comme discours, je sais. Mais laisse-moi en venir au fait. Toi, petite fille, tu me déranges ! dit-il en pointant Amanda du doigt.

Sa moustache frémit derrière le hublot du scaphandre et, en un clin d'œil, l'océan, le sous-marin avec son tableau de bord et son dôme de verre, tout disparut. Instantanément, Amanda et Rudger se retrouvèrent allongés sur un lit grouillant de serpents sinueux qui s'enroulaient. Avant même qu'ils puissent hurler à cette vue, la fille leur tomba dessus.

Dans sa chute, elle se vrilla comme un chat pour se jeter sur eux les mains en avant afin d'immobiliser les poignets de Rudger, et elle lui bloqua les jambes sur le lit avec ses genoux. Elle dégoulinait d'eau.

Avant qu'Amanda ait pu réagir, des serpents s'enroulèrent comme des cordes autour de ses bras, de ses jambes, de sa taille et de son cou. Elle était prisonnière.

— Tu n'es pas la seule à avoir de l'imagination, petite fille ! se rengorgea M. Butor. Et maintenant, j'ai faim. Ça fait des heures que j'ai faim et il faut que je... t'emprunte ton ami, si ça ne te dérange pas. Amène-le ici, toi !

La fille tira Rudger du lit de serpents jusqu'au milieu de la chambre, où elle le hissa en position verticale.

Il ne pouvait rien faire. Il se sentait de nouveau épuisé, et les doigts glacials de la fille faisaient affluer le désespoir à son cerveau. Il ne voyait même plus l'intérêt de lutter.

Quant à Amanda, elle n'était pas en meilleure posture, coincée sur son lit par tous ces serpents. Elle essaya de s'imaginer libre. Elle essaya d'imaginer Rudger libre. Elle essaya d'imaginer n'importe quoi, mais c'était trop dur. Les serpents qui se tortillaient autour d'elle occupaient tout son esprit. Elle en perdait ses capacités de concentration.

Elle en était réduite à regarder.

— Enfin ! jubila M. Butor. Tu m'as échappé trop souvent, toi. D'accord, c'était amusant. Mais au bout du compte, mon garçon, cela ne change rien.

M. Butor arrêta de parler et se dévissa la mâchoire. Surnaturelle, antinaturelle, sa gorge-tunnel carrelée de dents se déploya dans sa tête et au-delà, jusqu'au fin fond du puits de ténèbres. L'odeur d'épices pourries, de poussière chaude et de sable frappa Rudger en pleine face. Il tenta de libérer

une de ses mains, il tenta de se dégager dans un ultime effort désespéré.

Mais son monde bascula et soudain la gorge de M. Butor se retrouva en dessous de lui, puits carrelé de blanc avec ce petit point d'obscurité absolue tout en bas.

Il se sentit tomber, il commença à disparaître, et alors, soudain, une voix familière interrompit la scène. Les lumières grésillèrent et se rallumèrent, et la bouche de M. Butor se referma d'un coup avec un *boum* retentissant.

🐾

— Excusez-moi ? dit la maman d'Amanda.

Elle tenait d'une main une tasse de café sur laquelle était posé en équilibre un gâteau enrobé de Cellophane ; de l'autre elle avait ouvert la porte, qu'elle s'apprêtait à refermer quand elle avait aperçu M. Butor.

— Que faites-vous dans la chambre de ma fille ? Je peux vous aider ?

Elle n'était pas vraiment inquiète, plutôt intriguée. Il y avait sans doute une explication parfaitement rationnelle. C'était un hôpital, après tout, et des gens entraient dans les chambres et en ressortaient tout le temps. Sauf que cet homme ne ressemblait pas à un infirmier ni à un agent d'entretien, qui portaient tous des uniformes, et il n'était pas le médecin qui avait examiné Amanda.

Elle se rendit alors compte qu'elle le connaissait. Mais où l'avait-elle déjà vu ? Cette chemise hawaïenne bariolée, ce bermuda, ce crâne chauve... Oui, elle le connaissait, mais elle ne se rappelait plus d'où.

— Ah, madame Chamboultou ! commença-t-il. Je suis ici pour mener une enquête.

— Dans la chambre de ma fille ?

— Je vous cherchais.

— Vous êtes venu à la maison l'autre jour, se rappela enfin Mme Chamboultou. Comment saviez-vous que j'étais ici ?

— Mais elle en a, une bonne mémoire…

Mme Chamboultou se rappela le sentiment de malaise que lui avait inspiré cet homme, et qu'elle éprouvait de nouveau.

— Je préférerais que vous quittiez cette chambre, dit-elle d'un ton ferme.

— Il n'y a aucune raison de vous inquiéter, croyez-moi, répondit-il de sa voix la plus suave.

— Maman ! haleta Amanda.

Elle se débattait plus fort que jamais contre les serpents depuis le retour de sa mère, mais l'un d'eux était venu se plaquer sur sa bouche pour la faire taire. En mordant et en soufflant, toutefois, et aussi en le chatouillant du bout de la langue, elle avait enfin réussi à le déloger de là.

— Maman !

Elle parlait dans un souffle, parce que le serpent enroulé autour de son cou serrait fort.

— Amanda ! balbutia sa mère, sous le choc. Tu es réveillée ! Oh, ma chérie !

Elle courut à son chevet, s'assit dans le fauteuil et caressa le front d'Amanda. Elle ne voyait pas les serpents.

— Tu es bouillante, constata-t-elle. Mais au moins tu es réveillée. Oh, ma chérie, je regrette de ne pas avoir été là quand tu…

— Ne le crois pas, maman, l'interrompit Amanda dans un murmure. Il tient Rudger.

— Rudger ?

— Il va le manger.

— Oh, comme c'est méchant de dire ça, petite fille, commenta M. Butor. Manger n'est pas le terme approprié. Je vais l'emprunter. L'utiliser. L'annihiler.

— Mais de quoi parlez-vous ? demanda la maman d'Amanda en les regardant à tour de rôle.

— Oh de rien, de rien, mentit M. Butor d'un ton dégagé, les yeux tout brillants.

— Non. Il se passe quelque chose. Je veux savoir quoi, sinon j'appelle la sécurité.

— Maman, il est…

Amanda ne put achever sa phrase, parce que le serpent qui enserrait son cou avait soudain comprimé ses anneaux pour l'étrangler. Mais, alors même qu'elle se débattait, paniquée, elle savait bien que tout ce que voyait sa mère, c'était sa fille en train de suffoquer.

— Amanda ! cria-t-elle en essayant de la relever d'une main tout en tirant sur son pyjama de l'autre. Oh, Amanda ! Amanda ! Vous ! dit-elle à M. Butor. Je me fiche de savoir pourquoi vous êtes là. Allez chercher de l'aide, vite ! Vous ne voyez donc pas qu'elle s'étouffe ?

— Maintenant qu'elles sont occupées, on peut reprendre là où on en était, dit M. Butor à Rudger en ignorant Mme Chamboultou. Où en étions-nous, déjà ?

Et il recommença à se décrocher la mâchoire dans un bruit répugnant de craquement.

Rudger ne regardait même pas. Il observait Amanda et sa mère. Lui voyait bien le serpent qui étouffait son amie.

Les serpents imaginaires de M. Butor pouvaient-ils réellement faire du mal à Amanda ? Pouvaient-ils réellement l'étrangler ? Rudger n'en savait rien. Mais il avait le sentiment, l'intuition, la certitude que si seulement la maman d'Amanda avait pu les voir, elle aurait pu les combattre, les arracher et libérer Amanda.

Et même si elle ne les voyait pas pour l'instant, car elle était une adulte et que les adultes n'ont pas ce genre d'imagination, il savait que jadis elle avait pu. Il avait rencontré Frigo. Il connaissait l'ancien ami imaginaire de la maman d'Amanda. Et cela signifiait qu'un jour elle avait fait partie de ce monde-là.

La bouche mangeuse d'imaginaires était grande ouverte. Rudger sentit de nouveau le monde chavirer.

— Amanda ! cria-t-il, désespéré. Amanda, parle à ta maman de Frigo. Dis-lui que je l'ai rencontré. Dis-lui qu'il l'attend. Dis-lui qu'il viendrait si elle l'appelait. Dis-lui, pour le miroir.

— Maman, haleta Amanda.

— Chut, mon bébé. N'essaie pas de parler.

— C'est Rudger. Il veut que je te dise…

— Quoi, ma chérie ?

— Il a parlé d'un frigo. Je ne comprends pas.

— Qu'est-ce qu'il a, le frigo, ma chérie ?

Amanda marqua une pause, comme si elle écoutait quelqu'un parler au loin. Elle avait la respiration sifflante, des larmes roulaient sur ses joues. Sa mère lui caressa la main et déposa un baiser sur son front.

— Un chien, murmura Amanda, chaque parole la mettant au supplice tant elle avait le souffle court. Frigo… le chien. Rudger… Rudger l'a rencontré.

— Quoi ? balbutia sa mère en la regardant, l'air abasourdi.

— Il dit qu'il attend, articula péniblement Amanda. Sers-toi du… miroir.

Il avait fallu des années à Lizzie Tristoune pour comprendre que Frigo n'était pas un vrai chien. Quand il lui parlait, la nuit, couché sous son lit, elle pensait juste que ses parents lui avaient trouvé le meilleur chien du monde. Elle n'avait pas idée. Elle avait lentement pris conscience que personne d'autre ne voyait Frigo, que personne d'autre ne semblait au courant de son existence, que ses parents niaient l'avoir acheté pour elle. C'est seulement ce jour-là qu'elle avait compris ce qu'il était.

Un ami imaginaire. Quelle idée étrange.

Et maintenant, ici dans cette chambre d'hôpital où elle avait passé tant de temps à espérer, à souhaiter et, oui, *à imaginer* que son Amanda allait se réveiller, dans cette chambre où sa fille s'était enfin réveillée (elle ne l'imaginait pas, ça, quand même ?), elle crut sentir l'odeur du pelage mouillé de Frigo.

En regardant sa fille, elle vit autre chose. Pas juste des draps, pas juste sa fille, mais autre chose.

Elle n'arrivait pas à distinguer quoi. Dès qu'elle apercevait le quelque chose, le quelque chose disparaissait.

Elle entendit une voix lointaine, une voix très lointaine de petit garçon qui disait : « Le miroir. Dis-lui, pour le miroir. »

Cette voix lui parlait-elle ? On aurait dit de la vapeur qui parlait, tellement c'était faible, mais la maman d'Amanda regarda quand même.

Elle vit le placard où pendaient les vêtements d'Amanda. La porte était ouverte, et à l'intérieur se trouvait un grand miroir.

Elle regarda dedans et vit son reflet. Elle avait l'air fatigué, comme si elle n'avait pas dormi depuis des jours. Et elle se sentait épuisée, aussi. Elle n'avait pas quitté le chevet d'Amanda plus de quelques minutes depuis son hospitalisation. Et là, près d'elle dans le miroir, Amanda était étendue sur son lit avec sa couverture verte qui remuait.

Non. Ce n'était pas ça. Ce n'était pas une couverture. C'étaient...

Elle regarda le lit et vit des serpents qui recouvraient sa fille, l'immobilisaient, la retenaient prisonnière.

— Des serpents, se dit-elle. Pourquoi fallait-il que ce soit des serpents ?

Elle détestait les serpents. Cette façon de grouiller, de sinuer, de glisser comme par magie, comme s'ils étaient mus par leur pure méchanceté... Même Micro-Ondes s'enfuyait quand il trouvait un orvet dans le jardin — ce n'était pourtant pas un vrai serpent, juste un lézard sans pattes.

Tout ceci était délirant. Irréel. Bizarre. Mais elle ne paniqua pas, quoiqu'elle en ait terriblement envie.

Si c'était des serpents qui immobilisaient sa fille, si c'était des serpents qui empêchaient sa fille d'être dans ses bras, alors elle allait s'occuper d'eux. C'était aussi simple que ça.

Et de nouveau elle sentit Frigo, très loin, quelque part bien au-delà de cette chambre ; son odeur lui titillait le cerveau et le parfum familier de son pelage mouillé ébouriffé suffit à la calmer.

Sans peur, elle enroula ses doigts autour du gros python qui enserrait le cou d'Amanda pour le dérouler précautionneusement. Il était puissant, il lui résistait, mais bientôt elle eut ménagé assez d'espace pour qu'Amanda puisse inhaler ses premières goulées d'air pur.

Elle entendit de nouveau la voix du garçon. Elle se retourna et vit alors Rudger pour la toute première fois. Elle le reconnut comme si elle l'avait déjà vu. Il lui était familier, c'était un ami, et il se débattait en grimaçant dans l'étreinte de quelque chose qu'elle n'arrivait pas tout à fait à distinguer. C'était un nuage obscur, une ombre sans forme, quelque chose d'atroce, de pire encore que les serpents.

Le garçon croisa son regard et la panique qui se lisait sur son visage s'effaça un moment quand il vit qu'elle le regardait.

— Frigo se souvient de vous ! cria-t-il. Il vous a appelée sa Lizzie. Je crois qu'il attend.

Sous les yeux de Lizzie, l'ombre qui entourait Rudger recula et le garçon bascula en avant vers l'homme en chemise hawaïenne, qui était plié en deux et tournait le dos au lit. Elle comprit qu'il se passait quelque chose de terrible.

Rudger s'étira et commença à s'écouler en gouttelettes vers la bouche du chauve, comme une cascade qui aurait coulé au ralenti vers le haut pour se déverser dans une bouche d'égout.

Lizzie ne savait pas quoi faire.

— Aide-le, maman, la supplia Amanda derrière elle.

Frigo se réveilla.

C'était l'heure du déjeuner. Dans la bibliothèque, des gens réels se promenaient dans les allées, mais ce n'était pas ça qui l'avait réveillé. Non. Ce n'était pas non plus le bip-bip de la machine qui enregistrait les emprunts ni le frottement des portes automatiques. Il avait l'habitude de tous ces bruits. C'était autre chose.

Il leva les yeux vers le panneau d'affichage.

Il le surveillait depuis des années. Il lui était arrivé de partir vivre des aventures, mais ces derniers temps il s'était contenté de regarder le panneau. Il était fatigué. Il était vieux. Il était élimé sur les bords et s'estompait peu à peu.

Une dernière mission, s'était-il promis. Une dernière mission et ce serait la fin.

Il leva les yeux.

Et il vit une photo qui n'aurait pas dû être là. Une photo qui ne pouvait pas être là. De toute sa vie, il n'avait jamais vu un visage comme ça là-haut. Jamais. En même temps, les photos qui apparaissaient avaient toujours été des photos d'enfants qui avaient besoin d'un ami, et cette photo, finalement, n'était pas si différente. C'était celle qu'il attendait. Il avait toujours su que s'il attendait assez longtemps, elle finirait par arriver.

Frigo attrapa la photo entre ses crocs et courut vers le corridor au papier peint à myosotis. Il courut à grandes foulées foulantes et filantes.

Lizzie

Amanda était à moitié assise sur son lit. Elle retrouvait son souffle après avoir été étranglée par le serpent mais elle avait toujours les mains et les jambes immobilisées.

En fait, Amanda se souciait peu des serpents, tout occupée qu'elle était à regarder Rudger et M. Butor. Elle n'avait jamais assisté à cette scène, la bouche grande ouverte, le gobage d'un imaginaire. Sur le parking, elle avait interrompu M. Butor en l'attaquant par-derrière. Voici donc ce qu'elle avait réussi à empêcher ce jour-là.

Mais jamais elle ne pourrait l'empêcher aujourd'hui.

Le combat contre les serpents l'avait vidée de ses forces. Elle était épuisée, presque au point de perdre connaissance. Elle n'arrivait pas à imaginer une façon de sauver Rudger et des larmes de rage lui piquaient les yeux.

— Aide-le, maman, souffla-t-elle. Aide-le.

Rudger s'étirait de plus en plus. Près de lui, la fille regardait la scène, légèrement à l'écart, un pauvre petit sourire triste et pâle sur le visage.

Et, alors qu'Amanda le croyait perdu, alors que M. Butor, penché en arrière, aspirait plus fort que jamais, alors que le corps de Rudger était allongé au-delà du supportable, étiré à l'infini, et que des gouttelettes de lui se détachaient pour tomber dans la gorge du monstre, quelque chose se produisit.

Sa maman se leva, se dirigea vers M. Butor et lui dit : « Arrêtez. Laissez-le tranquille. Il est des nôtres. Il est notre ami. Vous ne pouvez pas l'avoir. »

Amanda était tellement fière d'elle. Elle l'aimait fort.

M. Butor parut moins impressionné. Sans se retourner, il tendit le bras pour écarter sa maman.

Elle trébucha, glissa, retomba sur le lit et, alors qu'elle jurait et se raccrochait au châlit en métal, du placard émergea la chose la plus improbable.

Un gros chien noir et blanc, la queue battante, la langue pendouillant d'un côté de sa gueule.

— Lizzie ? aboya-t-il. Lizzie ?

Et sans regarder où il allait, il se heurta au dos de la fille et l'envoya voler.

À son tour, elle percuta Rudger, le dégageant du chemin de la bouche vorace de M. Butor.

Rudger claqua, comme un élastique tendu qu'on relâche soudain, et retrouva sa forme de petit garçon. Il roula au sol en frissonnant de soulagement.

(« Lizzie, c'est bien toi ? » aboya le chien.)

La fille, quant à elle, avait été propulsée à l'endroit exact où s'était trouvé Rudger. M. Butor, en plein festin, ne sembla pas remarquer l'incident. Il continua à aspirer.

(« Lizzie, ma Lizzie ! » s'exclama le chien en courant vers la mère d'Amanda.)

Amanda observait la scène, horrifiée. La fille s'étira, s'étira tout fin et hurla — un sifflement aigu et strident et geignard comme la bouilloire chez Mamie Tristoune, mais très lointain.

(« Oh, Lizzie, te voilà ! » chouina le chien au pied du lit en enfouissant la tête dans les bras de la maman d'Amanda.)

L'instant d'après, la fille avait disparu. Complètement.

M. Butor avait les yeux fermés. C'était son moment préféré. Il se régalait du gobage des imaginaires goûteux qui gigotaient lorsqu'il les avalait. Leur peur et leur panique ajoutaient du piquant, et lui se sentait complet, content, comblé.

Il savoura l'instant. C'était exquis, comme un joyau liquide qui lui coulerait dans la gorge.

Et puis ce fut terminé.

Il avait avalé tout rond le garçon, mais…

… mais quelque chose n'était pas normal.

Le garçon avait un goût rance, pourri. Comme de la viande laissée trop longtemps sur le plan de travail. Comme du pain resté six mois dans la huche. Comme de la poussière.

Pourtant il avait l'air si savoureux, il sentait si bon…

Rudger avait été propulsé au sol par un choc dans le dos, et il avait roulé sur lui-même, échappant ainsi à la voracité de M. Butor.

Il regarda l'emplacement qu'il venait de quitter et, avec un cri de surprise, vit la fille être aspirée dans la gorge de M. Butor en tourbillonnant comme l'eau de la vaisselle dans le siphon, puis disparaître avec un *plop* dégoûtant.

Rudger sentit alors une odeur de chien mouillé.

M. Butor porta une main à sa gorge. Il referma la bouche d'un coup, sa moustache se remit en place, et il toussa comme s'il avait avalé une arête, les yeux exorbités. Il toussa encore et se donna un coup sur la poitrine.

Rudger l'observait, le cœur empli tout à la fois de crainte, d'inquiétude et d'espoir.

— Urgh, dit M. Butor, la main sur la poitrine. Urgh, urgh, urgh, répéta-t-il comme si cela avait un sens.

Et ensuite, il commença à se ratatiner.

M. Butor, cet homme corpulent au crâne chauve luisant et aux vêtements criards, se mit à rétrécir. Sa peau se distendit, se relâcha, se stria de rides et se couvrit de taches de vieillesse. Sa moustache s'effilocha et vira au gris, puis au blanc. Il perdit de sa hauteur, ses ongles se fendirent, ses genoux s'affaissèrent, il se voûta. Il haletait, il toussait. Ses yeux se voilèrent et devinrent chassieux. Sa peau prit une teinte grise et se marbra. Des toiles d'araignées se tendirent entre les verres de ses lunettes noires. Même sa chemise hawaïenne aux motifs bariolés se ternit, s'assombrit, s'élima et s'usa jusqu'à la corde.

Rudger se rappela les histoires entendues autour du feu de camp et devina ce qui avait dû se passer. Toutes les années que M. Butor avait volées, chaque année qu'il avait obtenue en mangeant un imaginaire, le rattrapaient à présent qu'il avait mangé son imaginaire à lui. Il vieillissait, il avait enfin son âge réel.

M. Butor ouvrit les yeux et regarda autour de lui. Il faisait plus sombre que dans son souvenir. La nuit tombait.

Il savait ce qu'il avait mangé. Il savait qui il avait mangé.

Il toussa, se racla la gorge et s'étouffa.

— Où es-tu, mon garçon, où es-tu ? ahana-t-il en cherchant Rudger.

Il se disait que s'il pouvait manger une seule autre fois, il se sentirait mieux. Mais il ne voyait ce satané garçon nulle part. Juste la fille dans son lit et sa mère agenouillée par terre près d'elle.

Le garçon (Comment s'appelait-il, déjà ? Roger, non ?) avait disparu.

Rudger trembla quand M. Butor posa les yeux sur lui.

— Urgh, urgh, urgh, dit le vieil homme avant de détourner le regard.

Il ne l'avait pas vu. Il n'était plus capable de le voir.

Rudger poussa un soupir de soulagement.

Cette sensation de faim était atroce. M. Butor avait l'impression d'être vide à l'intérieur, comme s'il n'était rien d'autre qu'un grand trou béant.

Avaler la fille l'avait détruit. Ils étaient ensemble depuis si longtemps qu'elle était devenue une partie de lui, et lui une partie d'elle. Pourrait-il vivre sans elle ? Il l'ignorait.

Il ne se rappelait plus exactement les termes du marché qu'il avait conclu voilà si longtemps.

Tout ce qu'il ressentait, c'était la faim.

De même que les imaginaires avaient besoin qu'on croie en eux pour vivre, lui devait manger cette croyance pour vivre. Il avait vécu tellement plus longtemps qu'un homme ordinaire que c'était la seule chose qui le maintenait en vie. Oh, certes, il appréciait le goût d'une bonne tasse de thé, du Earl Grey s'il vous plaît, mais elle descendait d'un coup. Seul le gouleyant gargouillis gluant d'un imaginaire tout frais pouvait lui remplir la panse.

Mais la manger elle, c'était un peu comme manger sa propre main. Une fois qu'on commence, sans s'en rendre compte on se mange le poignet, puis le bras, puis l'épaule, et avant d'avoir pu dire ouf, on s'est avalé tout entier. C'était cette sensation qu'il avait ressentie.

La faim le tenaillait, brûlante. La faim et la solitude. Tout ce qui avait compté pour lui, toutes les personnes qui avaient compté, tout ce qu'il avait connu était parti depuis longtemps. Et pour finir, la fille, maintenant…

Mais il n'arrivait même plus à se rappeler son nom.

Voilà qui lui parut bizarre.

Et puis il ne se rappela plus rien… Ne se rappela plus… Ne se rappela…

QUATORZE

Les serpents avaient disparu. Quand M. Butor s'était ratatiné après avoir englouti la fille, les serpents s'étaient juste envolés en fumée. Il flottait une odeur étrange dans la pièce, une odeur âcre de poudre, mais, au moins, tout était fini.

— Excusez-moi, dit la maman d'Amanda en passant la tête par la porte. Y a-t-il une infirmière disponible ?

Elle gérait la situation, comme le font les adultes dignes de ce nom.

Frigo était assis au pied du lit et la regardait de ses grands yeux humides. Elle avait aidé Rudger à se relever et à s'asseoir dans le fauteuil. Pour autant qu'elle puisse en juger, celui-ci n'avait pas trop souffert de tous ces événements.

Quelle sensation étrange, de tenir le bras de ce garçon dont elle avait tant entendu parler, avec qui elle avait partagé une maison sans jamais le rencontrer. Mais elle n'avait rien laissé paraître (il y aurait un moment opportun plus tard pour s'interroger sur toute cette histoire). Elle l'avait juste aidé à se relever et à marcher jusqu'au lit.

Elle l'avait assis près d'Amanda, puis avait regardé M. Butor tout ratatiné. Il fallait faire quelque chose. Il marmonnait, à moitié sourd, à moitié aveugle. Un pauvre vieillard impuissant, amnésique et totalement inoffensif.

Quand l'infirmière arriva, Mme Chamboultou le désigna du doigt.

— Je pense qu'il est perdu, expliqua-t-elle. Il n'a pas l'air de savoir où il se trouve.

— Oh là là, se désola l'infirmière avant de se tourner vers M. Butor. Comment vous appelez-vous, monsieur ? cria-t-elle, mais avec douceur.

— Urgh ?

— Bon, venez avec moi, on va voir si on peut retrouver votre chambre, vous remettre au lit et vous préparer une bonne tasse de thé, d'accord ? Je m'appelle Joan, mon petit monsieur. Vous pouvez vous appuyer sur mon bras. Allez, venez.

— Joan, souffla M. Butor avec une lueur dans les yeux. Oui, c'est ça… euh… oui.

— C'est quoi, mon petit monsieur ? demanda l'infirmière.

M. Butor la regarda d'un œil vide, son visage exprimant de nouveau l'incompréhension.

— Urgh ?

— Oh, vous avez oublié ? Allez, on y va, mon petit monsieur. Tout va bien se passer. Quelqu'un doit être en train de vous chercher, sûrement.

Elle aida M. Butor à sortir de la pièce. Il marchait à tout petits pas traînants et s'accrochait à son bras.

Avant de passer la porte, elle se tourna vers la maman d'Amanda.

— Désolée, madame, s'excusa-t-elle. Le pauvre petit vieux. C'est facile de se perdre, ici. Tous les couloirs se ressemblent. J'espère qu'il ne vous a pas trop dérangées. Vous êtes sûres que ça va, toutes les deux ?

Mme Chamboultou embrassa la chambre du regard, sourit et dit : « Oui, tout va bien. Merci de votre aide. »

Une semaine plus tard, Amanda avait suffisamment récupéré pour rentrer à la maison.

Elle était assise à l'arrière de la voiture avec Rudger.

— Mais, Lizzie, quand as-tu donc appris à conduire ? demanda Frigo d'une voix qu'emportait le vent.

— Rentre la tête dans la voiture, Frigo ! dit la maman d'Amanda en éclatant de rire.

— Et pourquoi il a le droit de monter à l'avant, lui ? lança Amanda avec une petite pointe d'agacement. C'est moi qui ai le bras cassé. Pourquoi je n'ai pas droit à un traitement de faveur ?

— Ma chérie, Frigo n'est jamais monté dans une voiture, répondit sa maman par-dessus son épaule. C'était un grand froussard quand j'étais petite. Il passait le plus clair de son

temps sous mon lit. Il n'aimait pas le bruit du moteur.

— Pas du tout ! protesta Frigo. C'est juste que j'avais le mal des transports.

— Oh oh, s'inquiéta Rudger.

— Mais maintenant tout va bien, le rassura le chien. Maintenant que Lizzie est grande.

— Tu te rappelles quand on est partis en vacances à Lyme Regis ? On s'était lancés dans des fouilles archéologiques et tu avais retrouvé l'os que le cuisinier de l'hôtel avait « perdu ». Tu m'as affirmé que c'était un os de dinosaure. C'est seulement trois jours plus tard, quand maman s'est demandé d'où venait cette odeur et qu'elle a regardé sous mon lit, que j'ai découvert ce que c'était vraiment…

— Une minute, l'interrompit Amanda en levant un doigt en l'air (car elle avait réfléchi). Si Frigo refusait de monter en voiture, comment a-t-il pu partir en vacances avec toi ?

— Je les ai retrouvés sur place, répondit Frigo. C'était plus simple comme ça.

— Moi, j'ai rencontré un dinosaure, intervint Rudger. Un tyrannosaure qui s'appelait Flocon.

— Ouah, moi aussi, moi aussi ! aboya Frigo.

Les adultes ne sont pas censés tout voir, pas tout le temps, pas pour toujours. Quelques semaines plus tard, la maman d'Amanda ne vit pas Rudger à la table du petit-déjeuner.

— Rudger ne descend pas, Amanda ?

— Mais il est assis juste là.

— Oh pardon, Rudger, s'excusa-t-elle auprès d'une place vide à l'endroit où Rudger n'était pas assis.

Assoupi près de la porte de service, Frigo leva le nez.

— Ne t'inquiète pas, Lizzie. C'est l'Ami d'Amanda. Tu n'es pas vraiment censée le voir. Regarde, je suis là, moi, dit-il en remuant la queue.

— Mais toi aussi, tu as l'air un peu maigrichon, Frigo.

— Je suis juste fatigué, répondit le chien.

L'école avait repris. Amanda avait raté la première semaine, mais bientôt elle s'estima assez en forme pour y aller.

Amanda et sa mère tombèrent sur Julia Radinoir et sa mère devant les grilles de l'école.

Les deux filles échangèrent un sourire poli et entrèrent ensemble.

— Amanda a toujours son ami imaginaire, madame Chamboultou ? demanda la maman de Julia.

— Qui ça, Rudger ?

— Oui, c'est ça.

— Mais comment êtes-vous au courant ? s'étonna Mme Chamboultou, bien décidée à ne pas lui révéler que Rudger leur avait raconté ses aventures chez les Radinoir.

— Julia m'en a parlé.

Avant de poursuivre, Mme Radinoir baissa la voix et regarda autour d'elle pour s'assurer que personne ne pouvait l'entendre.

— Elle a eu une phase bizarre, pendant les vacances. Elle aussi, elle pensait avoir une amie imaginaire.

— Formidable ! commenta la maman d'Amanda en caressant la tête de Frigo. Je trouve qu'ils sont…

— C'était juste horrible, madame Chamboultou ! l'interrompit la maman de Julia. J'étais atrocement inquiète. Elle se comportait de façon si bizarre. Ce n'était pas naturel. Je l'ai emmenée consulter le docteur Peterson à l'hôpital. C'est un spécialiste, un pédopsychiatre, précisa-t-elle dans un murmure, comme si le terme la gênait. Il m'avait été chaudement recommandé.

—Vous avez emmené Julia consulter un pédopsychiatre ? s'étonna la maman d'Amanda d'une voix forte.

— Oui, reconnut Mme Radinoir d'un air coupable. Et ça a été radical. À la seconde où on est arrivées, elle était guérie. Elle n'a plus eu une seule hallucination depuis. Totalement guérie.

— Quel gâchis !

— Je peux vous donner son numéro de téléphone, si vous voulez.

— Non, sans façon. Je trouve qu'Amanda se porte comme un charme.

— Hum, commenta la maman de Julia.

— Elle a demandé de mes nouvelles ? s'enquit Rudger ce soir-là.

— Non, rien du tout, répondit Amanda.

Il faisait noir dans la chambre. Amanda était au lit et Rudger dans son placard. Tout était redevenu comme avant.

— Tu lui as posé la question ?

— Au sujet de Veronica ?

— Oui.

— Eh bien, j'ai juste mentionné le nom quelques fois, comme ça, en passant. Tu sais, genre : « Tu veux bien me passer le taille-crayon, Veronica ? » ou « Je peux m'asseoir près de toi à la cantine, Veronica ? » Comme ça, quoi.

— Et qu'est-ce qu'elle a dit ?

— « Je ne m'appelle pas Veronica » et « Laisse-moi tranquille, espèce de dingo », tu vois le genre.

— Ma pauvre…

— Ne sois pas ridicule, Rudger. Je m'en fiche complètement. C'était très drôle. Elle est un peu bizarre, Julia, mais je l'aime bien. Je promets que je ne le referai plus demain, dit-elle avant de se reprendre : Enfin, après-demain.

Le lendemain matin, Rudger était assis dans le salon, où Frigo observait le chat par la fenêtre.

Il arrivait que Micro-Ondes, le chat d'Amanda, se comporte comme s'il voyait Rudger (mais personne n'en fut jamais complètement certain). Ce qui est sûr, en revanche, c'est qu'il ne voyait pas Frigo. Le chien s'allongeait près de lui quand il dormait, et il grignotait de la place sur le canapé ou dans l'escalier en le poussant, mais, en bon chat, Micro-Ondes se contentait de bâiller, de s'étirer, de se nettoyer l'oreille et d'aller se poser ailleurs pour dormir.

— Tiens, mais ce n'est pas Micro-Ondes, ça, remarqua soudain Rudger.

— Tu as raison, acquiesça Frigo.

Le chat qui se nettoyait la patte sur la pelouse n'était assurément pas Micro-Ondes. Rudger reconnut le pelage pelé, l'oreille déchirée, les yeux vairons et la queue tordue.

— C'est Zigzag ! s'exclama-t-il en courant ouvrir la porte d'entrée. Houhou, Zigzag !

— Rudger ! dit le chat en le frôlant pour entrer dans la maison.

— Oh non ! aboya sèchement Frigo, tapi dans l'ombre de l'entrée.

Le chat sauta sur la première marche de l'escalier et se gratta l'oreille. Puis il cligna des yeux sans dire un mot.

— Je ne veux plus, ni maintenant, ni jamais, dit Frigo en se renfonçant dans l'ombre.

Zigzag se garda de tout commentaire.

Une clochette résonna au premier.

Micro-Ondes apparut sur la dernière marche en haut. Il s'arrêta en voyant Zigzag et courut se cacher dans une chambre.

Zigzag eut un rire félin.

— Tu ne veux pas venir avec moi ? demanda-t-il à Frigo.

— Non.

— Tu sais ce que ça veut dire ?

Frigo hocha la tête.

— Qu'est-ce qui se passe ? s'inquiéta Rudger, qui pensait avoir compris mais espérait se tromper.

— Frigo ? appela la maman d'Amanda depuis la cuisine. Tu ne sens pas une odeur bizarre ?

— Lizzie ?

— Ah, te voilà, dit-elle en arrivant pour caresser sa fourrure emmêlée. Il y a une odeur bizarre quelque part. Tu peux…

Elle vit alors le chat inconnu sur la marche du bas.

Il lui fit un clin d'œil. Doucement.

— Mais comment tu es entré, toi ? Micro-Ondes, quelqu'un a envahi ton territoire ! l'avertit-elle avant de s'adresser à Zigzag : Allez ouste ! Va-t'en, toi ! Qu'est-ce que tu sens mauvais…

— Tout va bien, Lizzie, intervint Frigo. Il est avec moi.

— Tu veux dire que c'est un…

— Non, c'est un chat. Un chat que je connais. Il sera parti dans une minute.

Quand Amanda rentra de l'école, elle se précipita dans la maison.

Rudger lui apprit la nouvelle.

Frigo était parti.

Il était vieux, expliqua Rudger. Il était allé au bout du jardin après le déjeuner, et le vent l'avait emporté.

Rudger avait passé du temps avec ce chien. Il aimait Frigo. Mais maintenant, quelques heures plus tard, il avait déjà du mal à se rappeler exactement à quoi il ressemblait. Il oubliait, exactement comme il avait oublié… Zut, il avait oublié quelqu'un, mais qui, déjà ?

Quand Frigo avait été emporté par le vent, Rudger était rentré et avait regardé les photos accrochées dans la maison. Le garçon ne figurait sur aucune d'entre elles, sauf une, qu'Amanda avait accrochée dans sa chambre. Elle l'avait dessiné au feutre dessus. Elle avait dit que ça comptait quand même.

Les photos sont tout ce qui nous reste de certaines personnes. Les photos, et nos souvenirs.

L'imagination est fuyante, Rudger ne l'ignorait pas. La mémoire peine à la retenir, elle a assez de mal comme ça à s'accrocher au réel, à se souvenir des personnes réelles qui ont disparu.

Il était content qu'Amanda ait fabriqué cette photo, qu'elle ait un souvenir de lui qui ne s'estomperait pas. Parce que, un jour, il le savait bien, si improbable que cela puisse paraître, elle l'oublierait. C'est ce qui arrive avec le temps ; ce n'est la faute de personne, juste le cours normal des choses. Mais dans des années, quand elle serait adulte, elle retrouverait la photo rangée dans un tiroir ou coincée entre les pages d'un livre, et elle regarderait ce curieux dessin. Peut-être, alors, des souvenirs de Rudger lui reviendraient-ils ? Peut-être secouerait-elle la tête en riant de ses talents de jeune artiste trop enthousiaste (ou de sa coupe de cheveux), mais quoi qu'il en soit… eh bien, ce serait suffisant pour Rudger.

— Je suis désolée, maman, dit Amanda cet après-midi-là.

— Pourquoi, ma chérie ?

— Pour Frigo.

— Qu'est-ce qu'il a, le frigo ?

— Non, je veux dire…

Amanda s'interrompit. Les adultes ne sont pas censés tout voir, quelqu'un lui avait dit cela. Ils oublient si facilement les choses, parfois. Elle regarda Rudger.

— Je ne t'oublierai jamais, dit-elle avec sincérité.

— Comment ? demanda sa maman.

— Je parlais à Rudger.

— Ah, Rudger. Il est toujours dans les parages ?

— Allez, viens, dit Amanda en entraînant Rudger dans le jardin par la porte de derrière.

— On dîne dans vingt minutes ! l'informa sa mère.

Ils coururent pieds nus dans l'herbe sous le soleil. Rudger arriva le premier dans leur cabane en rampant sous l'aubépine.

—Alors, c'est quoi, aujourd'hui ? demanda-t-il, impatient.

— Ben, tu vois pas ? rétorqua Amanda en se glissant près de lui pour actionner des boutons sur le tableau de bord, qui allumèrent des lumières et démarrèrent le moteur. Rudger, mon ami, ça peut être tout ce que tu voudras.